De advocaat in jeugdstrafzaken

De advocaat in jeugdstrafzaken

D. Ruijsendaal

Met bijdragen van:

Mr. J.A.C. Bartels
Mr. J.H. de Graaf
Mr. H.W.J. de Groot
Mr. R.H.J. de Vries
Mr. M.A.C. van Vuuren

KLUWER

Deventer
2002

Omslagontwerp: Signia Winschoten

Tekeningen: Joost Verbeek

Vormgeving: Daphne Ruijsendaal

ISBN 90-268-4141-8

© 2002, Ruijsendaal e.a.

Woord vooraf

In dit boek treft U aan het verslag van een onderzoek onder advocaten naar hun visie ten aanzien van jeugdstrafzaken en de taak van de advocaat daarin.

De rechtbank Amsterdam is zich bewust van de bijzondere positie die advocaten als procesdeelnemers in het strafproces innemen. Bij jeugdstrafzaken komt daar als bijzonderheid nog bij dat de raadsman ten opzichte van zijn cliënt een eigen verantwoordelijkheid draagt. Een onderzoek naar de taakopvatting van de raadsman in jeugdstrafzaken onder advocaten zou voor advocaten en andere betrokkenen bij het jeugdstrafproces wel eens interessante informatie kunnen opleveren, was de gedachte. Er is samenwerking gezocht met de Universiteit van Amsterdam en er is een budget gevraagd aan de rechtbank voor onderzoek. De opdracht voor dit onderzoek is aanvaard en uitgevoerd door de student-onderzoeker, inmiddels bijna afgestudeerde juriste, Daphne Ruijsendaal. Zij heeft als onderzoeker zes maanden bij team jeugd van de strafsector gewerkt. Zij is daarbij begeleid door mr. J.H. de Graaf, universitair docent aan de universiteit van Amsterdam, mr. M.A.C. van Vuuren, advocaat, die in overleg met de Amsterdamse deken van de Orde van Advocaten is uitgenodigd zitting te nemen in de begeleidingscommissie, mr. S.C.S. van Voorst Vader, senior gerechtssecretaris bij team jeugd van de rechtbank Amsterdam, en de schrijver dezes.

Het onderzoek wordt aangeboden aan advocaten, omdat de rechtbank iets wil doen ten behoeve van deze beroepsgroep, die in de rechterlijke visie op het organisatiemodel van het strafproces een ketenpartner is. Het past wellicht niet in de attitude van de advocaat zich te laten aanleunen dat hij een ketenpartner is van de rechter en de officier van justitie, toch zal de advocaat die visie van de rechter voor lief moeten nemen. Het blijkt overigens dat – afgezien van de verschillende uitgangsposities – de opvattingen van advocaten, officieren van justitie en rechters over de taak van de advocaat in jeugdstrafzaken niet eens zo ver uiteen lopen.

Daarnaast is het voor de rechtbank van belang advocaten aan zich te binden, omdat de raadsman in het strafproces een onmisbare schakel is die het correcte verloop van de procedure en de evenwichtigheid van de besluitvorming bewaakt en bevordert. Rechters realiseren zich dat justitie soms wel eens een bureaucratisch en weerbarstig apparaat kan zijn. Het is noodzakelijk dat de raadsman voor de belangen van zijn cliënt opkomt en deze bewaakt, zeker indien deze cliënt een minderjarige is.

Het is goed voor rechters om zich te verdiepen in de opvattingen van advocaten en het is evenzeer van belang om met elkaar de discussie aan te gaan en in discussie te blijven. Tevens is het voor advocaten onderling als beroepsgenoten nuttig om te discussiëren over dilemma's waarvoor zij worden gesteld: wat juridisch en wat pedagogisch haalbaar en verantwoord is, hoe stel ik mij op tegenover mijn minderjarige cliënt en diens ouders.

Dit boek bevat tevens bijdragen van de inleiders op de studiedag van 10 januari 2003. Naast een wetenschappelijke inbreng van mr. J.H. de Graaf, is verzocht aan mr. H.W.J. de Groot, sinds kort werkzaam als raadsheer bij het gerechtshof in Den Haag, doch kortgeleden nog kinderrechter te Amsterdam, en mr R.H.J.de Vries, advocaat-generaal bij het gerechtshof te Amsterdam, voorzitter van de Commissie Jeugd van het OM, een bijdrage vanuit de praktijk te leveren over hoe zij de taak van de raadsman in jeugdstrafzaken zien. Ten slotte heeft mr. M.A.C. van Vuuren als advocaat vanuit eigen ervaring een bijdrage geschreven.

Voor de rechtbank is het eervol dat deze personen zich hebben ingezet om de studiedag en het boek te laten slagen.

Mr. J.A.C. Bartels, kinderrechter
voorzitter team jeugd van de rechtbank Amsterdam
8 november 2002

Inhoudsopgave

Tussen rechtsbescherming en pedagogisch belang en de rol van de raadsman; enkele aantekeningen

Mr. J.H. de Graaf

Tussen rechtsbescherming en pedagogisch belang en de rol van de raadsman; enkele aantekeningen

1. Het pedagogisch belang als rechtsbegrip doet zijn intrede met de invoering van een specifiek kinderstrafrecht in 1901. In deze periode ontstaat het besef dat velen niet bestand zijn tegen de gevolgen van het zich dan in alle hevigheid aandienende industrialisatieproces.

Dit besef heeft met name verstrekkende gevolgen voor de visie op de strafrechtspleging voor jeugdigen. Jeugdigen worden in deze visie eerder als slachtoffers gezien van hun sociale omgeving dan als daders, die verantwoordelijk zijn voor de door hun begane delicten. Dit leidt ertoe dat zowel specifieke bepalingen van materieel strafrecht als van strafprocesrecht worden ingevoerd. Belangrijkste voorbeelden van dit laatste zijn de verschijningsplicht voor de jeugdige verdachte en de beslotenheid van de zitting.

Doel van de maatregelen is heropvoeding. Het schuldbegrip wordt daartoe op afstand geplaatst. De relatie tussen de ernst van het feit en de straf die op basis daarvan passend wordt gevonden, wordt daarmee losgelaten. Ook het onderscheid tussen het civiele kinderrecht en het kinderstrafrecht vervaagt onder invloed hiervan. Verwaarlozing en crimineel gedrag worden onlosmakelijk met elkaar verbonden geacht. Een notie als rechtsbescherming is in deze visie eigenlijk niet aan de orde.

2. Deze ontwikkeling waarbij de persoonlijkheid van de dader een meer centrale rol gaat spelen staat niet op zichzelf. Het ontstaan van het kinderstrafrecht een eeuw geleden valt samen met een meer algemene ontwikkeling in het strafrechtelijk denken in die tijd: de moderne richting. In tegenstelling tot het klassieke strafrecht, waarbij vergelding voorop stond, wordt naar deze dan nieuwe dominante opvatting straf eerder gezien als "een maatregel die de dader moet leren moest leren zich weder aan te passen aan het sociaal milieu, waarin hij moest leven", zoals Hazewinkel-Suringa het omschrijft (p.26). Heropvoeding was dus ook in meer algemene zin het parool. Dat dit destijds ook mogelijk werd geacht is een gedachte die verklaarbaar lijkt tegen de achtergrond van het industrialisatieproces. In dit proces vallen weliswaar slachtoffers maar daarin ontstaan ook vele nieuwe perspectieven. Het menselijk tekort lijkt meer dan ooit te kunnen worden opgeheven.

3. In deze korte schets van de historische ontwikkelingen kan de invoering van het instituut van de kinderrechter niet worden gemist (1922). De kinderrechter wordt weliswaar ingesteld als gevolg van de invoering van de maatregel van ondertoezichtstelling, een civiele maatregel, maar deze krijgt hierbij eveneens een aantal bevoegdheden in het kinderstrafrecht. De denken valt hierbij met name aan de bevoegdheid om als rechter-commissaris op te treden in het gerechtelijk vooronderzoek. Deze uitwisselbaarheid van functies van civiele kinderrechter en kinderstrafrechter is tot op de dag van vandaag mogelijk en juist dat lijkt vanuit het oogpunt van rechtsbescherming meer dan wat ook een teer punt.

4. In de jaren '60 en '70 ontstaat kritiek op deze als paternalistisch ervaren mensvisie. In 1971 brengt de Commissie- Wiarda, de commissie die zich moest buigen over een herziening van het jeugdrecht, haar rapport uit : "Het rapport tot herziening van het kinderbeschermingsrecht". Het rapport-Wiarda vormt een belangrijke waterscheiding in de ontwikkeling van emancipatie van jeugdigen. Alles moet anders, zo lijkt het motto en zelfs het kinderstrafrecht, dat op basis van de voorstellen van de Commissie-Overwater betrekkelijk kort daarvoor nog geheel was herzien, hoefde hierbij niet te worden gespaard vond de minister.

5. In deze periode ontstaat ook meer algemeen een ander mensbeeld: de mens als vrij en verantwoordelijk wezen. Deze veranderde opvattingen over het strafrecht in het algemeen en het kinderstrafrecht in het bijzonder zijn sterk geïnspireerd door het gedachtengoed van de van de Utrechtse School. In het denken van deze school staat de grote waarde van de persoon van de individuele justitiabele centraal. De Utrechtse School ontstond in de jaren vijftig met de strafrechtsgeleerden Pompe, Kempe en Baan, werd later voortgezet door Rijksen en Peters en vindt thans een waardige vertegenwoordiging in de geschriften van Kelk (zie het mooie artikel van Boonen, K. "Een beschouwing over C.Kelk, de menselijke verantwoordelijkheid in het strafrecht, DD 27 91997), afl.4). Voor wat het kinderstrafrecht betreft valt hierbij met name te denken aan Mevr. Hudig en later Mevr. de Langen, wier beider gedachtengoed eveneens geheel in deze traditie staat (zie ook Schalken, T.M. "Jeugdstrafrecht tussen welzijn en de eis van een behoorlijke rechtspleging (Artikel 6 EVRM), FJR 1983, nr.7/8) Voor het kinderstrafrecht zijn de gevolgen van deze veranderde visie groot. Het kind wordt niet langer als rechtsobject beschouwd, maar als rechtssubject. Het pedagogisch belang verliest zijn dominante positie en de rechtsbescherming wordt een belangrijk item.

6. Een voorstel tot herziening van het kinderstrafrecht wordt vervolgens (pas)ingediend in het vergaderjaar 1989-1990 (nr.21327). Het wetsvoorstel stoelt op het rapport van de Commissie-Anneveldt, welke de opdracht had om terzake met voorstellen te komen. De grondgedachte van het rapport, welke in het wetsvoorstel tot herziening van het jeufdstrafrecht later wordt gevolgd, is dat "het kinderstrafrecht zich verwijdert van het civiele recht en zich dichter aanvlijt tegen het strafrecht voor volwassenen". Belangrijk uitgangspunt vormt verder de mondigheid van minderjarigen. Welke implicaties had dit? In de eerste plaats betekent dat een versterking van de formele rechtsbescherming. De verschijningsplicht wordt afgeschaft en de beslotenheid van de zitting wordt opgeheven, althans in het oorspronkelijke voorstel. Het schuldbegrip wordt in ere hersteld.

7. Deze procesrechtelijke voorstellen zullen de eindstreep echter niet halen. Tijdens het parlementaire gedachtenwisselingsproces worden de verschijningsplicht en de beslotenheid van de zitting opnieuw geïntroduceerd Maar er is nog iets anders gaande. De verhoogde rechtsbescherming in de procedure, waarop aanvankelijk sterk het accent lag, is naarmate de voorstellen vastere vorm aannamen, meer en meer overschaduwd door een meer op het volwassenrecht georienteerd sanctiepakket. De vrijheidsstraf die onder het oude regiem 6 maanden bedroeg, wordt voor de groep

van 16-18 jarigen verhoogd naar 2 jaar. De juridisering van de verhoudingen die werd ingegeven vanuit de gedachte om kinderen als zelfstandig rechtssubject meer serieus te willen nemen, heeft zo gaandeweg een ander karakter aangenomen en een andere klank gekregen. Debet aan deze ontwikkeling is een veranderd strafrechtelijk klimaat en een afnemend tolerantievermogen ten opzichte van normoverschrijdingen. In deze periode doet zich meer en meer een sterke behoefte aan repressie gevoelen. Ballet en Eliaerts stellen naar aanleiding van ontwikkelingen in Amerika hetzelfde vast. Zij stellen: "Dit neemt niet weg dat deze ontwikkelingen naar strengere proceswaarborgen voor minderjarigen tegelijkertijd tegemoet kwamen aan zekere repenaliseringstendensen. Zo heeft Hufstedler erop gewezen dat dat naarmate de jeugdrechtbank op procedureel vlak meer op een gewone strafrechtbank is gaan gelijken, het klimaat gunstiger werd om ook andere elementen van het gewone strafrechtssysteem (b.v. afschrikking, …) in de jeugdbescherming te introduceren" (Ballet, D. en Eliaerts, C. "Pendelbewegingen in de jeugdbescherming: het voorbeeld van de Verenigde Staten", Panopticon, 1989).

8. Een duidelijk markeringspunt in deze ontwikkeling vormt het rapport van de Commissie van Montfrans "Met de neus op de feiten" (1994). Beschikbare cijfers wijzen volgens de commissie zowel op een toename van de omvang als op een toename van de ernst van de jeugdcriminaliteit. Bijzondere aandacht daarbinnen behoeven, naar het oordeel van de commissie: ''toename van geweld, groei in de criminaliteit van meisjes, delinquent gedrag van kinderen onder 12 jaar en oververtegenwoordiging van jeugdigen uit bepaalde allochtone groepen bij sommige delictsoorten''. Als uitgangspunten voor beleid worden drie kernbegrippen gehanteerd: de aanpak van jeugdcriminaliteit dient vroegtijdig, snel en consequent te geschieden. Met dit rapport wordt de lijn ingezet dat naast repressief optreden, vooral preventief optreden in de strijd tegen de jeugdcriminaliteit belangrijk is.

9. Het onderwerp staat ook thans hoog op de politieke agenda. Recent verscheen een drietal rapporten van de Algemene Rekenkamer, die alle betrekking hebben op de jeugd in achterstandssituaties en de problemen die daaruit voortvloeien. Invalshoek bij deze rapporten vormde steeds de vraag naar de effectiviteit van de bestede middelen en de verantwoording van de 'bedrijfsresultaten'. Relevant in dit verband is met name het rapport 'Preventie en bestrijding van criminaliteit'' (TK 28282). De Rekenkamer concludeert dat de aanpak die destijds werd voorgestaan in het rapport van Van Montfrans slechts zeer ten dele wordt gerealiseerd. De score is op alle drie punten van ''vroegtijdig, snel en consequent'' zorgelijk. Recent verscheen ook een rapport van overheidswege, getiteld "Vasthoudend en effectief". In lijn met de conclusies van de onderzoeken van de Rekenkamer wordt in dit rapport bepleit om ''de resultaten van het beleid te consolideren, succesvolle initiatieven te systematiseren en eventuele ontbrekende schakels te realiseren. Het alles ademt de geest uit dat veel aandacht dient uit te gaan naar een feitelijke aanbod van faciliteiten en mogelijkheden.

10. Geven deze ontwikkelingen vervolgens aanleiding tot een hernieuwde onderlinge plaatsbepaling van het begrippenduo rechtsbescherming en pedagogisch belang?

15

Wat dit aangaat lijkt het verhelderend om terug te keren naar de oorsprong van de juridiseringstendens in de jaren '60 en '70. Deze vloeit immers voort uit het uitgangspunt van de mondige burger, die drager van rechten moet zijn. Ten grondslag hieraan liggen begrippen als menselijke waardigheid en vooral verantwoordelijkheid, waarden die eveneens stonden in het gedachtengoed van de Utrechtse School. "Ad fontes", zoals Boonen zegt. De oude bronnen kunnen opnieuw als inspiratie dienen en dagen ons intellectueel en geestelijk steeds opnieuw uit tot een 'actualiserend duiden in de veranderde maatschappelijke context" (Boonen, K, DD 27 (1997), afl. 4, p. 321). Toegespitst op de notie van rechtsbescherming kan dan worden gesteld dat deze geen doel op zich is maar dient te worden bezien naar de huidige stand van zaken met inachtneming van de waarden als menselijke waardigheid en verantwoordelijkheid.

11. Deze notie van de verantwoordelijke mens gold en geldt evengoed de minderjarige. Voor het kinderstrafrecht gelden deze uitgangspunten in hun fundamentele betekenis zeker niet minder, misschien wel sterker. Mevrouw Hudig, behalve verbonden aan de (oude) Utrechtse School, destijds tevens actief als kinderrechter bracht dat als volgt onder woorden: "Een kind, dat zich enigszins bewust is van zijn verantwoordelijkheid in het maatschappelijk leven en dat in staat is van een terechtwijzing te leren, heeft er recht op au serieux genomen te worden ook als het zich misdraagt". Ook het kind dient, zo is haar mening, als verantwoordelijk wezen geeerbiedigd te worden. Ook de Groot, oud-kinderrechter, benadrukt de betekenis van de erkenning als rechtssubject voor jongeren. Dit houdt immers in dat jongeren serieus worden genomen en dat heeft vooral ook een belangrijk vormend effect.

12. Wat betekenen deze noties nu concreet voor de huidige rechtspraktijk en de rol van de advocaat, het onderwerp van deze studie? Hoe moet de advocaat opereren in dit spanningsveld? Vast staat in ieder geval - en dat blijkt uit de resultaten van het onderhavige onderzoek naar de advocaat in jeugdstrafzaken - dat algemene uitspraken moeilijk zijn te doen. Iedere zaak is verschillend en wordt navenant beoordeeld Maar is dat niet juist de kracht van het recht?

13. De conclusies uit het onderzoek zijn bescheiden. Onderzoekster spreekt de verwachting uit dat als gevolg van het onderzoek in ieder geval "een basis is gelegd voor meer discussie en aandacht voor het onderwerp". Het onderzoek zal, zo hoopt zij, de openheid en onderlinge communicatie tussen de verschillende procesdeelnemers bevorderen. En dat is tegen de achtergrond van het in het onderzoek geconstateerde gebrek daaraan van groot belang. Een open en meer duidelijke procespositie van de deelnemers betekent belangrijke winst.

14. Welke meer specifieke punten verdienen hier wat dit aangaat nog de aandacht? Een heel gevoelig punt vormt wat dit betreft de opstelling van de advocaat met betrekking tot de bewezenverklaring, de eerste vraag van artikel 350. Juist op dit punt komt het dilemma van de advocaat het scherpst naar voren. Komt het immers niet tot een bewezenverklaring, dan dient vrijspraak te volgen.

16

15. Een essentieel punt vormt verder natuurlijk de strafbaarheid van verdachte: de derde vraag van artikel 350. Van bijzondere betekenis is hier de waarde die door de respondenten wordt gehecht aan het belang van een goede voorbereiding op het proces door de raadsman van de jeugdige verdachte.

16. En tenslotte komt dan de vraag aan de orde naar de straf of maatregel die de jeugdige dient te krijgen. Met name hierin dient het pedagogisch karakter van het jeugdstrafrecht tot uiting te komen. De straf dient in verhouding te zijn met het gepleegde feit en de omstandigheden. Op dit punt valt bij de respondenten grote overeenstemming te constateren (zie vraag 4 van de vragenlijst) en wat dat aangaat moet worden vastgesteld dat er in een eeuw kinderstrafrecht belangrijke vooruitgang is geboekt.

De advocaat in het Amsterdams geconcentreerd bejegeningsmodel

Mr. H.W.J. de Groot

De advocaat in het Amsterdams geconcentreerd bejegeningsmodel

Een nieuwe methode voor de opleiding van jonge advocaten? Een spionagestrategie waarbij advocaten worden ingezet? Een agogisch experiment? Nee.
De wijze waarop bij de rechtbank te Amsterdam wordt omgegaan met strafzaken van minderjarige verdachten wijkt af van de wijze waarop het elders gebeurt en wijkt ook af van de indruk die men bij het bestuderen van het wetboek van strafvordering zou kunnen krijgen.
Bij de Amsterdamse rechtbank staat centraal dat een jongere direct na zijn aanhouding een sanctie krijgt – lik-op-stuk dus – en dat dat gebeurt op basis van overeenstemming tussen het OM en de verdediging. Intussen moet deze vroegtijdige straftoemeting wel plaatsvinden op basis van een procedure die in overeenstemming is met de eisen van artikel 6 EVRM en zoveel mogelijk aansluiten bij de gangbare strafvorderlijke procedure.

1 De positie van de raadsman

Omdat rechtspraak een geformaliseerde en geritualiseerde vorm van gesprek en besluitvorming is, is het van belang dat alle gespreksdeelnemers de regels en mogelijkheden van de procedure kennen en voor alle deelnemers dezelfde regels gelden. Omdat we vinden dat een proces eerlijk moet zijn en alle deelnemers dezelfde processuele mogelijkheden moeten hebben heeft elke verdachte het recht zich te verzekeren van de bijstand van een advocaat. Voor minderjarigen geldt dat recht ook, maar is het wel of niet gebruik maken van dat recht niet meer overgelaten aan zijn vrije beslissing: hij krijgt eenvoudig een raadsman toegewezen.

Voor de verplichte rechtsbijstand zijn er allereerst humanitaire redenen: de minderjarige die wordt aangehouden en object wordt van politiële en justitiële bejegening is het eenzaamste kind dat hier te lande te vinden is, en met name eenzamer dan zijn volwassen lotgenoten.
Hij is immers behalve object van waarheidsvinding en uitoefening van dwangmiddelen ook nog eens slachtoffer van pedagogisch onderzoek en toepassing van pedagogische dwangmiddelen, en dat niet alleen door de overheid, maar ook door zijn eigen ouderlijk gezag. Anders dan zijn volwassen lotgenoot heeft hij dubbele zorgen en strijd op twee fronten.
De gang van zaken bij de voorgeleiding maakt dat inzichtelijk: bij monde van de kinderrechter/rechter-commissaris wordt hij door de officier van justitie beschuldigd van wetsovertreding, maar vervolgens wordt hij bovendien door de Raad voor de Kinderbescherming en de aanwezige hulpverleners van zorgwekkende ontwikkelingen beschuldigd. Hij moet zich verdedigen tegen de veelkoppige overheid tegenover zich, maar als hij omkijkt ziet hij achter zich zijn boze en teleurgestelde ouders. Tegenover hen moet hij ook nog eens zijn houding bepalen. Hij zit letterlijk tussen

twee vuren, en in die hoogst onoverzichtelijke en ongelijke strijd is de advocaat de allerenige waarop hij mogelijk kan vertrouwen en die hem zal steunen.

De tweede reden is dat men in ons strafvorderlijk systeem heeft bedoeld dat de minderjarige een volwaardige, ontvoogde gesprekspartner zou zijn. Dat uitgangspunt is alleen realiseerbaar als een aantal bruggen wordt geslagen. Voor zover de belevingswereld van de minderjarige tekortschiet om de wereld van de volwassenen te begrijpen, en vervolgens de wereld van het strafrecht te begrijpen, heeft zijn raadsman de taak dat tekort aan te vullen

1. De raadsman is de verbinding tussen de minderjarige en de buitenwereld, als de minderjarige vast zit.
2. Hij is de tolk tussen de wereld van de minderjarige en het juridisch discours, wat gaat over de taal maar ook over de juridische cultuur, over mogelijkheden en haalbaarheden.
3. Hij is vervolgens de tolk tussen de wereld van de minderjarige en die van de volwassenen: hoe serieus een minderjarige als rechtssubject ook genomen wordt, het blijft in vele opzichten een kind.
4. Hij is de hoeder van de processuele belangen van de minderjarige.

In het Amsterdamse systeem is de advocaat de spreekbuis van de minderjarige. Hij is echter geen willoos voorwerp dat zonder eigen inbreng de visie en de wensen van de minderjarige reproduceert.

De grondslag van de relatie tussen advocaat en cliënt is vertrouwen. De cliënt heeft het gevoel dat hij zijn lot in de handen van de advocaat legt, die hem voorgaat en de weg wijst in het enge bos, en die hem bij de te verwachten strijd met griezels en draken zal helpen. De cliënt vertrouwt erop dat hem de juiste weg wordt gewezen bij elke drie- of meersprong, en dat zijn gids hem niet in de steek zal laten als het echt moeilijk wordt.

De advocaat maakt bij zijn optreden een hanteerbaar mengsel van de hier genoemde taken en verwachtingen. Maar is de receptuur van het mengsel willekeurig? Nee, want voorop staat het vertrouwen van de minderjarige cliënt dat niet beschaamd mag worden. Dat vertrouwen heeft een zekere elasticiteit, die per individu verschilt. Ook de kwaliteit van de vertrouwensrelatie verschilt: het ene kind zal gemakkelijk zijn ziel en zaligheid in de handen van zijn raadsman leggen, terwijl het andere kind niet verder komt dan een moeizame instrumentele relatie. Natuurlijk is er tussen de aard van de vertrouwensrelatie en de achtergrond van het kind een nauwe samenhang, en misschien is er ook wel een samenhang tussen beide en het delict. Juist om die reden mag de moeizame relatie tussen kind en raadsman nooit ten nadele van het kind uitpakken: het onvermogen om vertrouwen te geven en zich te uiten is misschien wel deel van het probleem. Deze kwestie is de zachte onderzijde van de professionele relatie van de advocaat en zijn jonge cliënt.

Maar dan moet de advocaat ook nog voor de jongere aan het werk en resultaten binnenhalen. De jongere ziet zijn advocaat als zijn beschermer in bange tijden, en dat moet de advocaat ook zijn. De angst wordt allereerst veroorzaakt doordat de jongere zich geplaatst ziet in een voor hem onbekende en bedreigende situatie, tegenover onbekende en bedreigende mensen, wier taal en gewoonten hij niet kent. In de rol van heldhaftig belangenbehartiger en woordvoerder belichaamt de advocaat de gelijkheid van bewapening in de procedure. Hij heeft dezelfde kennis, dezelfde taal en dezelfde cultuur als de tegenstanders van zijn cliënt.

De advocaat is dus de strijder in de ring, maar ook de bemiddelaar van het ene discours naar het andere: hij zet de taal van het gezag om in de taal van de jongere, maar vertaalt ook de wensen vanuit het discours van de jongere in verzoeken in het discours van het gezag: de wens "ik wil zo gauw mogelijk weer vrij zijn" wordt omgezet in "ik zal bij de volgende raadkamer schorsing vragen" En tenslotte adviseert hij, en de overheersende vraag is hoe hij die adviserende rol speelt.

2 Twee driesprongen

We halen twee driesprongen naar voren uit de vele die zich in het griezelwoud van het Amsterdams model voordoen.
A. Verdachte ontkent, toch taakstraf?
B. Over verdachte is gerapporteerd, geadviseerd is plaatsing in een inrichting voor jeugdigen (PIJ), toch gokken op vrijspraak?

A. De ontkennende verdachte in het Amsterdams model
Fernando doet aangifte van een straatroof, gepleegd door drie iets oudere jongens. Ze wilden zijn telefoon hebben, en pas na flink te zijn geschopt en geslagen door de drie jongens hebben ze hem de telefoon kunnen ontfutselen. Fernando verklaart tenslotte dat hij een van de jongens herkende als een leerling van een naburige scholengemeenschap. Na onderzoek in de fotomappen van die school wijst Fernando Rixon aan als dader. Rixon wordt aangehouden en hangt een verhaal op dat bij controle bij de school niet blijkt te kloppen. Hij wordt voorgeleid, en onder aanhaling van de 12-jaarsgrond wordt de bewaring gevorderd.
De raad rapporteert over toenemende problemen op school, vage vrienden, geen vrijetijdsbesteding. Moeder heeft steeds minder greep op Rixon en vader is afwezig. Ondanks het lacuneuze alibi blijft Rixon ontkennen. Hij wordt in bewaring gesteld. Zijn advocaat zoekt hem op en legt hem voor dat je bij een dergelijke straatroof meestal bij de raadkamer gevangenhouding wordt losgelaten als een taakstraf van zo'n 80 a 100 uur wordt aangeboden door de advocaat plus aanvaarding van begeleiding (MHS door de jeugdreclassering). Rixon weigert aan een dergelijke overeenkomst mee te werken want hij is echt onschuldig. Moeder, bij het gespreek aanwezig, aarzelt: het verhaal van Rixon klopt niet maar ze wil haar zoon ook niet afvallen.
Wat moet een advocaat in zo'n situatie adviseren, en met hoeveel intensiteit?

Uitgangspunt is natuurlijk dat de advocaat net zo goed als de kinderrechter en de ovj weet dat Rixon zeer waarschijnlijk schuldig is. Het wettig bewijs is er, en Rixon heeft geen andere verklaring omtrent zijn activiteiten op het moment van de straatroof kunnen geven. Een tweede uitgangspunt in dit geval is dat detentie voor de ontwikkeling van Rixon geen meerwaarde heeft, en eerder risico's meebrengt (besmetting, aanzien). Hij moet er zo snel mogelijk uit. Derde uitgangspunt is dat de geschokte rechtsorde in de groep jongeren in die buurt en de noodzaak om een grens te trekken het enige tijd van de straat halen van Rixon rechtvaardigen, terwijl ook de aangever bescherming verdient.

Voor Rixon heeft de detentie verschillende voordelen: hij redt zijn gezicht en zitten is stoer. Een taakstraf is niet stoer, en tegenover zijn moeder en zijn vrienden verliest hij zijn (verschillende soorten) eer. Rixon zit klem.

Maar de raadsman en de moeder weten heel goed dat Rixon zo snel mogelijk naar huis en naar school moet, en stevige begeleiding moet krijgen om de neerwaartse ontwikkeling te corrigeren. En de raadsman weet dat het OM in Amsterdam straatroof als zeer ernstig feit opvat en op een lange voorlopige hechtenis prijs stelt. Anderzijds mag de raadsman het vertrouwen in hem en het zelfvertrouwen van Rixon niet aantasten.

De conclusie moet zijn dat de raadsman heel goed met Rixon moet praten, buiten aanwezigheid van diens moeder. Hij moet een argumentatie kiezen die Rixon in zijn waarde laat en ertoe leidt dat Rixon zelf voor zijn eigen belang kiest. Hij kan dat doen door hem de gevolgen van zijn processuele opstelling te schetsen in termen, ontleend aan het korte termijnbelang van Rixon: als je niet gauw naar school gaat blijf je zitten, en dan raak je achter bij je vrienden. Rixon hoeft niet te bekennen, maar hij moet wel meewerken aan de taakstraf en aan begeleiding en ophouden met zijn strijd met justitie. Het overreden van Rixon zonder hem te vernederen zal het uiterste van de communicatieve vaardigheden van de advocaat vergen.

Wat ik duidelijk wil maken is dat dat pas goed kan lukken als de advocaat het doel van zijn optreden en zijn rol scherp ziet. Dat doel is het zelfrespect van de jongere stimuleren, het inzicht in het eigen belang en de expressie daarvan bevorderen, en pas in tweede instantie het bevorderen van het ontwikkelingsbelang van de jongere. Zijn rol is om rigoureus maar met verstand achter de jongere te staan.

Een dag voor de raadkamer gevangenhouding is Rixon door de bocht. De advocaat belt de officier van justitie, en er wordt afgesproken dat de voorlopige hechtenis van Rixon bij de raadkamer wordt geschorst met MHS, en dat Rixon 100 uur mediumtraining zal doen.

En zo gebeurt het. Later blijkt uit de rapportage van de jeugdreclassering dat Rixon in een groepsgesprek tijdens de cursus de toedracht van de beroving en zijn rol daarbij heeft verteld. Voor de ontwikkeling van Rixon is dat van groot belang, voor de procedure is het irrelevant.

B. Hoe moet de advocaat omgaan met het PIJ-advies van een ontkennende verdachte?

Karel wordt beschuldigd van een ernstig zedenmisdrijf. Er is heel weinig bewijs, en hij ontkent. Zijn verklaringen zijn echter tegenstrijdig. Hij zit al enkele maanden in voorlopige hechtenis, die ondanks herhaalde bewijsverweren steeds wordt verlengd. Een psycholoog en een psychiater hebben Karel onderzocht en hij is intramuraal geobserveerd. Er is gesproken met ouders en hulpverleners. Tenslotte wordt, geredeneerd vanuit wetenschappelijke kennis, een diagnose gesteld en een verklaring gegeven voor het strafbaar handelen. Op basis daarvan wordt een PIJ geadviseerd om de ontwikkeling van Karel om te buigen in een voor hemzelf en de samenleving gunstiger richting.

Wat moet nu de strategie zijn van de verdediging? Het standpunt van de jongere en zijn ouders was helder: "Karel is onschuldig en de deskundigen zijn helemaal niets waard". De advocaat had dus weinig ruimte om zowel de vrijspraak te bepleiten als de merites van de rapportage aan te vallen, die immers uitging van het bewezen worden van de feiten.
De advocaat had het gevoel dat zijn cliënt en zijn ouders hem niet zouden kunnen volgen als hij op de rapportage en het advies inging. Zij zouden dat als verraad voelen. Aan de andere kant weet de advocaat ook, dat de verdedigingsstrategie om wel kritiek te hebben op de rapportage maar dat verder niet te funderen omdat de verdachte onschuldig is en dus moet worden vrijgesproken, zeer riskant is. Denkbaar is immers dat er een alternatief behandelingstraject bedacht zou kunnen worden dat minder zou ingrijpen in het leven van de jongere.

Ik denk dat hier de gecompliceerde rol van de advocaat goed zichtbaar is: in dit geval was er een eerste en een tweede verdedigingslinie nodig, en een verstandig strateeg organiseert die ook. Het achterwege laten daarvan betekent het spelen op rouge-et-noir, en dat kan niet op kosten van mensen die de risico's niet kunnen inschatten.

Als de verdediging het echt niet met de rapportage of de adviezen eens is dan heeft het geen zin om tegenover deze rapportage slechts de mening van de ouders of de minderjarige, of de eigen mening van de raadsman te plaatsen. Tegenover een deskundige opinie moet tenminste een deskundige worden geplaatst, liefst van gelijk niveau. De stelling van de raadsman dat hij ook mensenkennis heeft, en dat het heus wel mee valt met zijn cliëntje, mist elke processuele relevantie.
Men kan kritiek hebben op de observatie, op de gebruikte onderzoeksmethode, op de interpretatie van tests, op de wijze waarop gesprekken zijn gevoerd, de weergave of de interpretatie ervan en op de wijze waarop de wetenschap is gebruikt om tot conclusies en adviezen te komen. In al die gevallen moet een vorm van aanvullende of contra-expertise worden aangeboden of gevraagd. De inzet bij een dreigende PIJ is hoog en rechtvaardigt een grote zorgvuldigheid van de kant van de verdediging.

In het algemeen geldt dat het bij de bespreking van de persoonlijke omstandigheden in beginsel geen zin heeft om positieve eigenschappen of hoopgevende ontwikkelingen naar voren te brengen als die niet door enig toetsbaar gegeven worden gestaafd. Een jeugdreclasseerder, een buurthuiswerker, een werkgever, een brief van de kinderpsycholoog of het afsprakenlijstje van de gitaarles zijn invloedrijker dan de blote mededeling van de raadsman. De raadsman is geen deskundige maar tolk en zijn mening over of kennis van niet-juridische zaken doet niet ter zake.

In het geval van Karel betekent dat dus dat er om enige vorm van nader onderzoek of contra-expertise moet worden gevraagd. Als Karel onder toezicht staat kan de gezinsvoogd misschien bereid worden gevonden om een alternatief behandelingstraject uit te stippelen, of er kan mogelijk via het RIAGG een aanbod worden gedaan.

3 Geconcentreerde bejegening kan ook civiel zijn

Ten slotte: het voornaamste kenmerk van het Amsterdams model is dat de jongere gedurende enige tijd kan rekenen op geconcentreerde en niet-vrijblijvende aandacht, beginnend bij zijn aanhouding en eindigend bij het einde van de begeleiding door de jeugdreclassering.
Het vaststellen van de strafrechtelijk relevante feiten en de mate van verwijtbaarheid geschiedt telkens als alle procesdeelnemers elkaar treffen aan de hand van de gegevens die op dat moment voorhanden zijn. Het doel van de geconcentreerde aandacht is het optimaliseren van de ontwikkeling van de jongere.
Opmerking verdient dat dit doel en deze werkwijze niet wezenlijk verschillen van de overheidsinterventie via de ondertoezichtstelling. De positie van de raadsman bij de civiele jeugdbescherming onderscheidt zich dan ook niet wezenlijk van die in jeugdstrafzaken.

Ga er maar aan staan

Mr. R.H.J. de Vries

Ga er maar aan staan

Een stereotype van de verhouding tussen, misschien zelfs de tegenstelling tussen officier en advocaat, is wel dat de officier probeert een zo hoog mogelijke straf te krijgen en de advocaat zijn best doet om cliënt er zo gemakkelijk mogelijk te laten afkomen – het pleiten voor minimale strafoplegging.

Nu wil ik niet beweren dat er helemaal niets in zit – de onderzoeksgegevens bevestigen dat die taak voor de advocaat prominent is -, maar als karakterisering is de stelling in hoge mate onwaarschijnlijk. Ik zou natuurlijk een verhaal kunnen afsteken over de door het Openbaar Ministerie veelal geclaimde magistratelijkheid – zo van: de officier is niet alleen maar de aanklager, maar verwerkt in zijn strafeis evenzeer het belang van de minderjarige – maar nuttiger is om als stelregel te nemen dat jeugdofficieren (en –AG's) met jeugdstrafzaken meer dan een nuance anders omgaan dan in meerderjarigenzaken. In zoverre benaderen we dat het OM en de balie uiteindelijk een zelfde belang dienen: het voorkomen van eerste delicten, het terugdringen van recidive en het stevig aanpakken van stelselmatige daders.

Deze redenering maakt mijn positie in dit gezelschap wat minder riskant en mijn verhaal wat eenvoudiger.

Achtereenvolgens laat ik de revue passeren: het geldende verbaliserings- en vervolgingsbeleid, de effectiviteit van jeugdsancties en –maatregelen, de samenwerking tussen de procespartijen en de overige betrokken instanties – ik heb voor het regisseren van die samenwerking ooit de term kluwenmanagement bedacht -, ik zal het hebben over de politieke roep om harder aan te pakken, het splinternieuwe Actieprogramma aanpak jeugdcriminaliteit, en daardoor heen gelardeerd, míjn visie op de rol van de advocaat in jeugdstrafzaken zoals die zou moeten zijn.

1   Verbaliserings- en vervolgingsbeleid

In de (tegenwoordig heet dat) Aanwijzing Verbaliseringsbeleid jeugdzaken van enkele jaren terug wordt al afstand genomen van de 'aanhoudende lankmoedigheid' die tientallen jaren het beleid van kinderrechters (en overigens ook van jeugdofficieren) heeft gekenmerkt, de overtuiging dat de minste straf altijd de beste is, de zachte aanpak, waarvan inmiddels wel duidelijk is dat die in ieder geval níet werkte.

In het rapport van de commissie-Van Montfrans die in 1994 al aandrong op afdoening van jeugdcriminaliteit volgens het bekende motto snel (na het plegen van het feit), vroegtijdig (in de criminele carrière) en consequent (rekening houdend met de strafrechtelijke voorgeschiedenis van de jeugdige verdachte) klinkt die beleidswijziging door.

Als er naar huidige politieke inzichten een oplossing voor het probleem van de jeugdcriminaliteit wordt gezocht in zwaarder straffen, dan citeer ik uit de richtlijn het begrip sanctieprestige, ofwel de mate waarin een straf door de jeugdige wetsovertreder serieus wordt genomen. Willen rechters en officieren serieus genomen worden door de verdachte, dan moet de afhandeling van strafzaken tenminste zodanig zijn dat zij indruk maakt op de jeugdige. Een volstrekt onvoelbare straf – hoe hoog ook in de sanctiehiërarchie – als een geheel voorwaardelijke (sec, zonder bijzondere reden om zo'n straf op te leggen) heeft dat sanctieprestige niet, maakt geen enkele indruk op de jongere. De knul heeft alleen maar het gevoel, er goed van afgekomen te zijn. Hetzelfde geldt mutatis mutandis voor de schier eindeloze reeks herkansingen bij het uitvoeren van taakstraffen. Een taakstraf (werkstraf of leerstraf) is in zoverre bijzonder, dat er van de delinquent medewerking wordt gevraagd bij de tenuitvoerlegging ervan. Als die medewerking niet van harte is, in die zin dat de jongere in kwestie er met de pet naar gooit (verschijnt niet op het intakegesprek, zegt af in verband met ziek, zwak en misselijk, gaat voorbij aan het gele en rode kaartensysteem van de Raad voor de Kinderbescherming) dan is het in het algemeen niet bevorderlijk voor het prestige van de taakstraf om ter terechtzitting – dus ná herhaalde pogingen van de Raad om het jongmens te bewegen tot die medewerking, een beroep te doen op zijn gevoel voor verantwoordelijkheid – om de behandeling van de omzettingsvordering (oud) maar weer eens aan te houden voor een zoveelste poging. Niettemin vragen advocaten dat altijd, in de overtuiging, het belang van cliënt te dienen. Ook al ontkent de jeugdige verdachte annex cliënt bij hoog en bij laag, een taakstraf in plaats van jeugddetentie is nooit weg. Een negatieve selectie, waarvan het pedagogisch gehalte nadert tot nul.

Wanneer is er sprake van sanctieprestige?
Dat hangt uiteraard af van de aard van het gepleegde misdrijf. Zes maanden jeugddetentie voor een winkeldiefstal is zoiets als schieten met een kanon op een mug, en schiet daarmee letterlijk zijn doel voorbij. Dat geldt ook voor twee weken voorwaardelijk voor vier of vijf autokraken. Die straf stelt niks voor, is onvoelbaar, en staat in geen verhouding tot hetgeen het jongmens heeft aangericht.
Een larmoyant verhaal van de raadsman resulterend in een soort tegen-eis van een 'zware voorwaardelijke straf', dat een beroep doet op de bereidwilligheid van kinderrechters om de verdachte een kans te geven – inmiddels heeft de jongere afstand genomen van zijn vriendenkring, hij gaat weer naar school, heeft een vriendin, kan zijn affectie kwijt bij een nieuw aangeschaft huisdier, heeft weer geregeld contact met zijn uithuizige vader (heeft hem inmiddels weer één keer gezien), vindt zichzelf stom, heeft spijt en zal het nooit weer doen – zo'n pleidooi kan wel kansrijk zijn, maar de in zo'n kader op te leggen straf is dat vrijwel zeker niet.
Heeft een straf op zich, alleen zonder verder gevolg, überhaupt enig werkzaam bestanddeel? Misschien, misschien ook niet. En knaapje dat zich lam schrikt van de hulpofficier bij wie hij wordt voorgeleid, en een nachtje in de politiecel doorbrengt, heeft niet veel méér straf nodig. De doorgewinterde recidivist, al dan niet verslaafd, luistert niet naar de belerende woorden van de politie, niet naar de eis van de officier, niet naar de uitspraak van de rechter, en zelfs niet naar de vrijpleitende woorden van zijn advocaat.
Ik heb wel eens te doen met raadslieden als ik ze zie lijden op de zitting omdat zij ook wel begrijpen dat er weinig hoop is op verbetering, en dan haast tegen beter weten in pleiten voor de ouderwetse lankmoedigheid.

Ook het nieuwe Actieplan aanpak jeugdcriminaliteit dringt erop aan, de inspanningen te richten op een aantal bijzondere doelgroepen, zoals hardnekkige veelplegers, de stelselmatige daders, daders in groepsverband, en in het bijzonder de groep jongeren die beginnen met recidiveren en dreigen af te glijden naar een criminele carrière. Een soort middengroep tussen de relatief minder ernstige delicten van de HALT-groep enerzijds en de voorgeleidingen anderzijds.

We moeten ons in het bijzonder richten op de middencategorie, omdat daarvan nog iets kan worden verwacht, zonder uiteraard de beide buitencategorieën te verwaarlozen. Van de afglijdende veelplegers kunnen we nog hopen dat ze worden weerhouden van recidive, dat het lokkende snelle geld en de status van een stoere gevangenisklant, de glanzende scooter of bolide, en een ongelimiteerde toevloed van vriendinnen niet zo onweerstaanbaar zijn dat er geen houden aan is. Het Actieprogramma spreekt daar van een 'verleidende omgeving'.

Ik bedoel natuurlijk níet dat we geen aandacht meer moeten geven aan klanten die via een voorgeleiding verzeilen in een jeugdinrichting. De officier gaat ook voor die categorie dóór met voorgeleiden, met rekwireren en met opsluiten. Rechtsbijstand is daarbij essentieel. Wordt daarentegen 'rechtsbijstand' restrictief uitgelegd, in de zin van: hoe hou ik hem buiten de jeugdinrichting?, dan kun je heftige vraagtekens plaatsen bij de (her-)opvoedende werking van een eventueel succes daarvan.

Grote-mensenverweren over de niet-ontvankelijkheid van het OM, voorstellen tot bewijsuitsluiting, het afgrazen van artikel 459a (Strafvordering) mogen uiteraard worden gevoerd, maar lijken in jeugdzaken net even minder 'van toepassing' dan bij meerderjarigen, waar het proberen van de haak te komen als het ware meer geaccepteerd is. Ik waag me even niet aan de jurisprudentie van de Hoge Raad voor zover daaruit blijkt dat hij steeds minder zin heeft in het verbinden van draconische gevolgen aan door of onder verantwoordelijkheid van het OM gemaakte fouten en begane omissies.

Het onderzoek wijst uit dat de rechtsbescherming het wint van het pedagogisch belang. Dat betekent dat de participanten van mening zijn dat de rechtsbescherming in de verdediging voorrang behoort te hebben boven het pedagogisch belang, zij het dat die verhouding (60/40%) kan variëren met de omstandigheden. Officieren krijgen het verwijt, kinderrechters trouwens ook, dat zij formele regels al te gemakkelijk aan de kant schuiven, alles onder het mom van het pedagogisch belang, het gewenste resultaat. Er wordt boos gekeken als er een formeel verweer wordt gevoerd; het is not done om je te beroepen op formele regels.

Er zit natuurlijk ook nog een andere kant aan, hoewel u mij dat in de zittingszaal zelden zult horen zeggen. Eerlijk gezegd, worden we wel eens een beetje moe van de hele ceel mogelijke, maar soms bij voorbaat kansloze verweren, die bij iedere gelegenheid van stal worden gehaald, en omstandig worden voorgedragen, al was het alleen maar om ingeval van onvoldoende respons de zaak nog eens te kunnen traineren door in cassatie te gaan. Bij kinderzaken (hierna zal ik het voortaan hebben over jeugdzaken) irriteert dat meer dan bij volwassenen. Het voordragen van verweren, uitsluitend voor het verhogen van de tevredenheidsquote van cliënt, is inderdaad iets dat tot boosheid kan leiden. Aan pedagogiek kom ik dan zelfs niet toe.

Hetzelfde geldt mutatis mutandis voor het vragen om schier eindeloze reeksen getuigen, ook al zijn zij niet alleen door de politie, maar ook in aanwezigheid van de raadsman of –vrouw bij de kinderrechter/RC gehoord.

Wilt u er nog een?

Het intrekken van het hoger beroep, één dag vóór de zitting, of zelfs op de ochtend ván de zitting. Dat wekt op zijn minst de indruk, dat het appèl alleen diende tot uitstel van executie. Pedagogisch?

Gelukkig komt dit alles in zijn meest boosaardige vorm niet veel voor.

Alleen maar lief zijn voor het OM dan?

Nee, het jeugdOM is volwassen genoeg. Maar misschien minder denken in termen van tegenstelling. We willen immers allemaal hetzelfde, n.l. dat het knaapje of meisje ophoudt met het plegen van strafbare feiten. Dat er weer iets terechtkomt van het kind, en dat de anderen, de maatschappij, wordt gevrijwaard van de overlast en het nadeel dat door hen is toegebracht, in welke vorm ook.

In de woorden van het Actieprogramma: een veiliger samenleving met een duidelijke afname in crimineel gedrag van jongeren.

De tegenstelling tussen OM en verdediging kan ook in mijn visie herleven als er inderdaad zwaarder gestraft zou moeten gaan worden. Wat rechtvaardig is in de ogen van de burger, de politiek en uiteindelijk, de Rechterlijke Macht – tegenwoordig geseculariseerd tot Rechterlijk bedrijf – hoeft helemaal niet rechtvaardig te zijn in de ogen van de verdachte.

Voordat we ons daar druk over gaan maken: ik denk niet dat er over de hele linie zwaarder gestraft moet worden. Ik denk ook niet dat er in Nederland een te mild jeugdstrafrecht wordt gehanteerd, een paar rechtbanken misschien uitgezonderd. Het Actieprogramma heeft als motto met een straffe hand voor een betere toekomst. Die hand moet straf zijn waar nodig, matig waar dat kan, en vervangen worden door iets anders als een strafrechtelijke hand contraproductief zou zijn.

2 Effectiviteit van jeugdsancties en –maatregelen

Een modern onderwerp. Getuigt van zelfevaluatie, je bewust zijn van doelen en middelen.

De effectiviteit van het jeugdstrafrecht wordt in deze tijd met nadruk aan de orde gesteld, al was het alleen maar omdat het geld kost, veel geld, zowel in termen van toegebracht nadeel als van het strafrechtelijk apparaat. Kortom: u en ik.

Die effectiviteit meten we in de mate van recidive. Ik weet wel dat dat niet alles is 'wat er is', maar de onbetwiste graadmeter van het maatschappelijk succes van mijn en uw werk is toch de recidive. Het (concept-)programma Jeugdsancties van het ministerie van Justitie gaat ook uit van effectiviteit van sancties in termen van het afzien van crimineel gedrag door de jeugdige; bestraffing moet gericht zijn op resocialisatie en heropvoeding.

Als u dan bedenkt dat we tamelijk onvolledig geïnformeerd zijn over de recidiveratio gedifferentieerd naar soort straf, sanctie, maatregel, dan hebben we het alleen al daarom moeilijk. We gaan er kennelijk van uit dat sommige straffen een werkzaam bestanddeel hebben, zonder dat we precies weten hoe of wat. Ik zal u deelgenoot maken van wat ik wèl weet.

Halt heeft de beste resultaten (is niet verwonderlijk, want is een lichte categorie). De uitvoering van taakstraffen – dit gaat dus over de logistiek – mislukt bij zo'n 20% (met inbegrip van de klanten die überhaupt niet beginnen), maar van het recidivepercentage hebben we geen cijfers. We weten dus (nog) niet of taakstraffen leiden tot minder recidive, en dus nog minder of zij beter werken dan jeugddetentie of geldboete. Dat komt wel natuurlijk, want het is een te belangrijk gegeven; het WODC werkt eraan.

Geldboetes doen we niet weg, maar ik heb er geen hoge pet van op. Niet van de opbrengsten – in termen van weken zakgeld (hebt u enig idee over de relatieve vermogens waarover kinderen van 15, 16 jaar beschikken?) -en al helemaal niet van het pedagogisch gehalte; geldboetes plegen nogal eens door de ouders te worden voorgeschoten en daarna nooit meer te worden terugbetaald of als oninbare vordering te worden kwijtgescholden.

De Plaatsing in een Inrichting voor Jeugdigen (PIJ) leidt, zo blijkt uit onderzoek, binnen een periode van vijf jaar tot een recidive van 60, 65%. Dat is ongeveer het landelijk gemiddelde in de jeugdcriminaliteit. Hoezo heropvoeding? Schaffen we de PIJ af? Nee, althans niet voordat we iets beters hebben. Een begin zou kunnen worden gemaakt door de PIJ beter toe te passen; ik denk bijvoorbeeld aan een combinatie met ideeën die thans uit de VS overwaaien, die uitgaan van een soms ingewikkelde combinatie van zorgelementen.

Ik zal u besparen wat er allemaal nodig is voor een effectieve strafrechtelijke interventie. Uiteraard wordt er aansluiting gezocht met de oorzaken van crimineel gedrag, ook onder jongeren. Zo ontstaan risicofactoren die gezamenlijk leiden tot uiteenlopende vormen van criminaliteit. Anderzijds zijn er zogenoemde protectieve factoren die juist beschermen tegen het ontstaan van delinquentie. Beide soorten factoren doen zich voor op allerlei leefgebieden als gezin, school, vrije tijd en omgeving.

Ieder kind krijgt opgaven mee voor zijn of haar ontwikkeling. Denkt u aan sociale vaardigheden, omgang met leeftijdsgenoten, het hebben of krijgen van een positief zelfbeeld, een actieve leerhouding, schoolse vaardigheden, moreel besef en zelfredzaamheid.

3   Samenwerking tussen procespartijen

Ik heb diagram 8.5 van de onderzoeksresultaten bestudeerd. In termen van een klanttevredenheidsonderzoek komt het OM er nog niet eens slecht af.

Voor degenen die problemen signaleerden tussen raadsman en andere procesdeelnemers betreft het in 18% de officier. Tel ik alle rechters in de grafiek op – KR alg, KR als RC, Raadkamer, KR als zittingsrechter, MK - dan komen we aan 44%. De rest wordt hoofdzakelijk ingevuld door Raad voor de Kinderbescherming en jeugdreclassering.

'Het parket werkt allerbelabberdst (…) de zittings-ovj weet soms niet eens wat er op de zitting behandeld gaat worden (…) een niet op te lossen probleem zolang rechters en officieren voornamelijk aan hun eigen agenda denken', zei één van de partici-panten. Eén. Gelukkig maar.

Van het 'op verkeerde stoelen gaan zitten' scoort de ovj omdat hij of zij vaak op de stoel van de rechter zou gaan zitten. Is staatsrechtelijk onjuist, stellen we vast. 'Met hem of haar kan je bijna geen afspraken maken' is een kritiek die mij aannemelijker in de oren klinkt. Die trekken we ons aan; is in het jeugd-OM wellicht een te behan-delen onderwerp, als het gaat om de aan te nemen attitude en een uit te voeren taak-opvatting.

Dat Raad en jeugdreclassering niet op de stoel van de advocaat moeten gaan zitten door het houden van ongevraagde pleidooien, het geven van ongevraagde strafad-viezen, onderschrijf ik graag. Dat er één dat doet is erg genoeg …

Ik vat samen: uw en mijn vak blijft het leukste van Nederland.

Rechtsbescherming of pedagogisch belang?

Mr. M.A.C. van Vuuren

Rechtsbescherming of pedagogisch belang?

De discussie over hoe de raadsman zijn verdediging dient in te vullen lijkt niet te kunnen verstommen.

In het Wetboek van Strafvordering zijn geen bepalingen opgenomen die aangeven hoe een strafpleiter de verdediging vorm moet geven. Verdragen kennen dergelijke bepalingen ook niet. De eed of belofte die een advocaat bij zijn beëdiging af dient te leggen - voor zover hier van belang - luidende "dat hij geen zaak zal aanraden of verdedigen die hij in gemoede niet gelove rechtvaardig te zijn", biedt ook geen concreet richtsnoer. In de tuchtregels worden slechts ruime grenzen getrokken waarbinnen de verdediging zich dient te begeven, en beperkt zich dus eigenlijk tot hoe niet te handelen. Ook het tuchtrecht geeft geen leidraad hoe wel te handelen. Ruimte voor discussie dus. Die discussie is uitgebreid gevoerd, en ik meende inmiddels in de literatuur en de praktijk de volgende consensus te mogen ontdekken.

De raadsman dient volstrekt eenzijdig en volledig partijdig te zijn. Hij dient slechts het belang van zijn cliënt. De raadsman zorgt ervoor dat zijn cliënt alle rechtsregels kan benutten die hij zou hebben benut als hij ze had gekend. De raadsman reikt zijn kennis en ervaring aan, de verdachte bepaalt wat hij daarmee doet. De verdachte is dominus litis, oftewel baas in eigen zaak. De raadsman behoudt een eigen verantwoordelijkheid, waarbij wet, tuchtrecht en advocateneed de kaders aangeven.

Bovengeschetste consensus blijkt echter broos. Daphne Ruijsendaal heeft met haar onderzoek aangetoond dat er nog altijd heel verschillend over de taakopvatting van de raadsman wordt gedacht. Ditmaal werd zijn rol in het jeugdstrafrecht onder de loupe genomen, en staat de bereikte eensgestemdheid voor wat betreft het minderjarigenstrafrecht kennelijk op de tocht. Ik vraag mij af waarom. Immers: er wordt in wet, verdrag of tuchtrecht met betrekking tot (a) de functie van de raadsman en (b) de mate van rechtsbescherming voor de verdachte, geen relevant onderscheid gemaakt tussen volwassenen- en jeugdzaken. En de in de literatuur en tuchtrechtspraak aangedragen argumenten die vorm geven aan de taak van de raadsman, zijn ook niet slechts voorbehouden aan de 18+zaken.

In het onderzoek van Ruijsendaal wordt duidelijk dat een meerderheid van de ondervraagden het jeugdstrafproces een groter pedagogisch doel toedicht dan het strafproces voor volwassenen. Dat is niet vreemd. Ieder contact met een (vooral jong-) minderjarige is opvoedkundig gekleurd. Waarom zou de strafprocedure een uitzondering zijn. Het is echter wel opvallend dat er zo verschillend wordt gedacht over de vraag of en zo ja hoe elk van de procespartijen aan dat pedagogische aspect dient bij te dragen, en over de vraag of bepaald optreden van de raadsman een negatief opvoedkundig effect heeft. Velen menen dat het voeren van een vrijspraakverweer voor een schuldige minderjarige verdachte, het straffeloos blijven van een schuldige (bijvoorbeeld tengevolge van een procedurefout), en het door de raadsman onvoorwaardelijk partij kiezen tegenover ouders en hulpverlening, een negatief tot zeer negatief opvoedkundig effect heeft. Hier ben ik het niet mee eens.

Alleen al omwille van de duidelijkheid dient de raadsman in zijn volstrekt eenzijdige en volledig partijdige rol te blijven. Er zijn in een minderjarigenzaak meer partijen actief dan bij volwassenen. De Raad voor de Kinderbescherming schuift aan en het Buro Jeugdzorg Amsterdam staat klaar om de nu onder vuur liggende projectencarroussel aan te zwengelen. Laat de verschillende procespartijen niet op elkaars stoel gaan zitten en laat ieder zijn eigen taak vervullen.
Een jonge verdachte krijgt na zijn aanhouding in korte tijd veel te verwerken. Niet alleen veel emoties maar ook veel gezichten, en dat tegelijkertijd. De een na de ander komt ongevraagd (ook de advocaat!) bij hem langs en praat tegen hem aan. Het moet voor een kind zo helder mogelijk zijn wie wie is, en wie wat doet. De enige die hij aan zijn brits treft die volledig achter hem staat is zijn advocaat. De andere partijen verhoren hem over zijn betrokkenheid bij een strafbaar feit, vragen hem waar ze dit aan te danken hebben en draaien de zakgeldkraan dicht, of lichten de rechter voor over een passende sanctie. De raadsman dient steun en toeverlaat te zijn. Bij die rol past niet dat (ook) hij hem bestraffend toespreekt. De raadsman dient zich er wel voor te hoeden dat hij niet door de minderjarige wordt gezien als een broeder in het kwaad, en om dat te voorkomen kan best meegedeeld worden dat de maatschappij geen sympathie heeft voor de begane feiten. Dat de raadsman zich vervolgens desondanks bereid verklaart 100% rechtsbescherming en bijstand te verlenen, en die bereidverklaring vervolgens ook waar maakt, is een wijze les, en derhalve opvoedkundig verantwoord.

In de praktijk merk ik in het algemeen dat het opvoedkundige aspect van een minderjarigenzaak wel een rol speelt bij mijn werkzaamheden. Omgang met een minderjarige is nu eenmaal anders dan omgang met een volwassene. Het leidt echter niet tot een andere taakopvatting, wel tot een uitbreiding van het takenpakket.

Een kind is over het algemeen onwetender, hulpbehoevender, beïnvloedbaarder dan een volwassene. Bij een kind die als verdachte in een strafproces is beland, geldt dat wellicht nog versterkt. Dit betekent dat de raadsman de minderjarige verdachte minstens zo onverkort en onvoorwaardelijk terzijde dient te staan als hij dat doet bij diens meerderjarige collega. De minderjarige zal eerder bezwijken onder de druk van politie, ouders, jeugdbescherming of de zitting. Het ligt in de rede te veronderstellen dat een minderjarige eerder met een autoriteit zal meepraten, en minder voor zichzelf kan opkomen. Het is de taak van de raadsman van de minderjarige te vernemen waar die staat, en vervolgens erop toe te zien dat hij zich niet laat ondersneeuwen. Hij dient onvoorwaardelijk achter de minderjarige te gaan staan.

Onvoorwaardelijk aan de kant van de minderjarige staan, betekent niet klakkeloos aan de kant van de minderjarige staan. Aangezien de raadsman zich niet achter (de wensen van) zijn cliënt kan verschuilen en een eigen verantwoordelijkheid voor zijn handelen behoudt, vindt er voorafgaand aan iedere stellingname overleg en/of discussie plaats. De minderjarige blijft echter baas in eigen zaak, en de raadsman heeft zich daarbij uiteindelijk neer te leggen.

Slechts bij hoge uitzondering komt de vertrouwensbreuk in zicht. Het onvoorwaardelijk aan de kant gaan staan van de minderjarige ten opzichte van wie dan ook, is derhalve een vereiste, een gegeven waar (ook) de minderjarige verdachte recht op heeft.

Een andere uitbreiding van het takenpakket ten opzichte van het meerderjarigenstrafrecht is gelegen in de uitleg die aan minderjarige verdachten dient te worden gegeven over alle aspecten van zijn positie en de procedure. Als die uitleg gegeven wordt, kan ieder weloverwogen vonnis een positief opvoedkundig effect hebben. Hier ligt een taak voor de Kinderrechter bij het wijzen van het vonnis. De raadsman heeft die taak ook: voorafgaand aan een te voeren verweer en achteraf als de emoties van de zitting wat geluwd zijn.

Als een minderjarige 'dreigt' de dans te ontspringen wegens een formele fout, dan is er geen pedagogisch nadelig effect als hem wordt uitgelegd dat en waarom de overheid zich ook aan de regels moet houden. Als de schuldige minderjarige voorafgaande aan een bewijsverweer wordt verteld dat in ons systeem iemand pas schuldig bevonden kan worden bij voldoende wettig en overtuigend bewijs, dan zie ik de nadelige opvoedkundige gevolgen van de eventuele vrijspraak niet. En al helemaal niet van het voeren van het verweer. De minderjarige wordt immers ook uitgelegd dat de advocaat degene is die is aangewezen om hem in weer en wind bij te staan. De raadsman die voor een schuldige minderjarige een haalbaar verweer niet voert, doet zijn werk niet goed en dient de deken te vrezen.

Ik merk dat kinderen vrij onwetend zijn over ons rechtssysteem. Een strafprocedure kan (o.a.) gezien en beleefd worden als een versnelde en intensieve cursus recht en maatschappijleer.

Is het pedagogisch onverantwoord dat een kind krijgt voorgehouden hoe ons strafrecht werkt? Is het opvoedkundig onjuist dat de minderjarige ziet dat de waarborgen van ons strafrecht ook voor hem gelden? Is deze bescherming en deze kennis voorbehouden aan de meerderjarigen?

Het is juist dat kinderen niet altijd verteld wordt wat volwassenen weten. Maar we mogen ons strafrecht niet gelijk stellen aan Sinterklaas, de paashaas, of seksuele voorlichting. Een kind hoeft niet 18 jaar te worden om pas rijp te zijn voor ons strafrecht. Ook niet in de praktijk. De wetgever heeft dat kennelijk ook niet gewild en vervolging vanaf 12 jaar mogelijk gemaakt.

Blijkens vraag 4 (uit de vragenlijst) van het onderzoek is de overgrote meerderheid van de ondervraagden van mening dat het pedagogisch zeer negatief zou zijn als de minderjarige minder rechtsbescherming zou genieten dan een volwassene. Daar zijn we het dan gelukkig wel over eens. Het valt echter niet in te zien hoe die rechtsbescherming zich dan vervolgens nog kan laten beknotten.

Conclusie: de veronderstelde tegenstelling tussen rechtsbescherming en pedagogisch belang is er niet. Door een volstrekt partijdige en goed beargumenteerde rechtsbescherming te bieden, dient de raadsman ook een opvoedkundig doel.

Advocaatje leef je nog?

De raadsman in jeugdstrafzaken:
tussen rechtsbescherming en pedagogisch belang

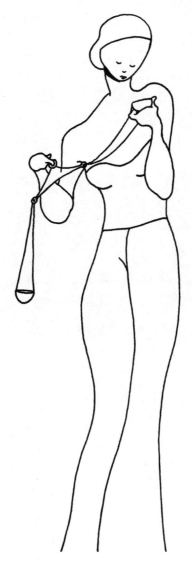

Daphne Ruijsendaal

Voorwoord

Toen ik op de universiteit hoorde van de mogelijkheid om mee te doen aan het Duaal Leertraject, was ik meteen geïnteresseerd. Op de jeugdunit van de Rechtbank Amsterdam had ik eerder in een meeloopstage drie weken lang jeugdzaken bijgewoond. Gezien de interessante zaken en mijn interesse voor jeugdrecht en strafrecht, was mij al meteen duidelijk in welk kader en waar ik het Duaal Leertraject zou willen uitvoeren: op het gebied van het jeugdstrafrecht op de jeugdunit van de Rechtbank Amsterdam. Uiteindelijk is dit ook zover gekomen en heb ik van februari t/m augustus 2002 een onderzoek verricht naar de rol van de raadsman in jeugdstrafzaken, in opdracht van de Rechtbank Amsterdam en in het kader van het Duaal Leertraject van de Universiteit van Amsterdam. De resultaten van het onderzoek worden in dit onderzoeksrapport gepresenteerd.

Bij het uitvoeren van het onderzoek, het verwerken van de gegevens en het samensmelten van alle informatie tot een wetenschappelijk rapport, heb ik gelukkig van de nodige ondersteuning en begeleiding kunnen genieten. Hierbij wil ik iedereen bedanken die mij heeft gesteund en geholpen, waarbij ik de volgende personen en instanties wil noemen. *Hartelijk dank aan:*
De Universiteit van Amsterdam, in het bijzonder aan mr. J.H. de Graaf en mr. I.M. Nusselder voor de scriptiebegeleiding en daarnaast alle andere wetenschappers die zich hebben ingezet voor het Duaal Leertraject.
De Rechtbank Amsterdam, in het bijzonder Mr. J.A.C. Bartels en Mr. S.C.S. van Voorst Vader voor het creëren van de mogelijkheid om het onderzoek namens de Rechtbank Amsterdam te verrichten en daarnaast alle andere kinderrechters en gerechtssecretarissen voor hun interesse en bereidheid om mee te denken.
De advocatuur, in het bijzonder mr. M.A.C. van Vuuren voor zijn betrokkenheid bij het onderzoek namens de advocatuur.
Alle participanten in het onderzoek (advocaten, kinderrechters en officieren van justitie in het arrondissement Amsterdam) voor de tijd en moeite die zij hebben gestoken in het invullen van de vragenlijst.
Drs. M. Ruijsendaal – zonder wie ik het onderzoek niet had aangedurfd – , *Drs. Ing. W.H.L. Ruijsendaal* – die altijd en tot diep in de nacht voor mij klaarstond – en *Dr. E. Ruijsendaal* – die haar omvangrijke kennis van de Nederlandse taal met mij heeft gedeeld – voor hun geduld, kennis en onbegrensde behulpzaamheid.
J. Verbeek voor de prachtige tekeningen die hij speciaal voor dit werk heeft gemaakt.
Firma Ruijs & Daal voor de begeleiding bij de vormgeving.
J. Hoogendoorn en *J.E. Coutinho* voor de morele steun en de computertechnische hulp.

Daphne Ruijsendaal

november 2002

Inleiding

1 Onderwerp van onderzoek

1.1 Terreinafbakening

In dit onderzoek staat het jeugdstrafrecht centraal. Het verschil tussen het jeugdstrafrecht en het volwassenenstrafrecht is hoofdzakelijk dat (her)opvoeden via het strafrecht een grotere kans van slagen wordt geacht te hebben bij minderjarigen dan bij volwassen. Uiteraard is het zo dat er gestraft moet worden wanneer er een strafbaar feit is gepleegd. Het uitgangspunt van het jeugdstrafrecht is echter dat het pedagogisch belang van de minderjarige delinquent hierdoor in ieder geval niet mag worden geschaad. Dit uitgangspunt werd in 1951 naar voren gebracht door de commissie-Overwater:

> De straf, die een jeugdige aan wie het feit kan worden toegerekend wordt opgelegd, zal enerzijds aspecten van vergelding, generale en speciale preventie in zich dienen te hebben, maar nooit in die mate dat de jeugdige erdoor wordt geschaad.[1]

Dit vloeit voort uit de gedachte dat minderjarigen nog in de fase van hun leven zijn dat zij niet alleen kunnen maar ook moeten worden opgevoed. Daarom richt het jeugdstrafrecht zich in grotere mate dan het volwassenenstrafrecht op het (her)opvoeden van de minderjarige verdachte. Het wetsvoorstel voor de herziening van het jeugdstrafrecht van 1995 blijft deze gedachte ondersteunen. In de memorie van antwoord wordt dit als volgt beargumenteerd:

> [...] Hierbij speelt mee dat de jeugdige nog niet volledig verantwoordelijk kan worden geacht voor zijn handelen. Een jeugdige kan nog niet los worden gezien van het gezin waarvan hij deel of juist geen deel meer uitmaakt. Aan de omstandigheden daarvan heeft hij geen debet, doch deze liggen vaan ten grondslag aan eventueel delinquent gedrag. Dit gegeven rechtvaardigt dat in geval van strafbaar gedrag de overheid zich in vergelijking tot volwassenen een extra pedagogische taak aanmeet [...] Deze overwegingen gelden zowel voor het bestaande als voor het voorgestelde nieuwe jeugdstrafrecht.[2]

In de leeftijd van 12 tot 18 jaar poogt het strafrecht dus in het geval van een gepleegd strafbaar feit een aanvullende of plaatsvervangende opvoedende taak te vervullen. Hiermee richt het jeugdstrafrecht zich in eerste instantie op het individu. In tweede instantie richt het jeugdstrafrecht zich ook op de maatschappij. Er moet bij de toepassing van het jeugdstrafrecht immers rekening worden gehouden met het feit dat minderjarige delinquenten over het algemeen langer dan volwassenen deel zullen uitmaken van de maatschappij. Het is dan ook in het belang van de maatschappij om ervoor te zorgen dat minderjarige delinquenten worden (her)opgevoed en daardoor een maatschappelijk verantwoorde toekomst tegemoet gaan, of ten

---

[1] Commissie-Overwater 1951, zie Verpalen 1991, p. 12.

[2] Kamerstukken II 1991/92, 21 327, nr. 6, p. 5-6.

minste dat zij geen (grotere) bedreiging zullen gaan vormen voor de maatschappelijke orde. Er mag echter niet worden vergeten dat ook de rechtspositie van de minderjarige bij de toepassing van het jeugdstrafrecht in acht dient te worden genomen door middel van de rechtsbescherming. De rechtsbescherming is in de loop der tijd steeds meer op de voorgrond komen te staan in het jeugdstrafrecht. Dit heeft de nodige invloed op de positie van het pedagogisch belang in het jeugdstrafrecht. De rechtsbescherming kan namelijk in conflict raken met het nastreven van het pedagogisch belang, wanneer het leidt tot het afzwakken of afzien van een – mogelijk pedagogische – strafrechtelijke reactie.

Aangezien het jeugdstrafrecht qua doelstelling en qua regelgeving afwijkt van het volwassenenstrafrecht, is het logisch dat ook de rollen van de verschillende procesdeelnemers in het jeugdstrafrecht anders zijn. De procesdeelnemer die zich in hoofdzaak bezig houdt met de rechtsbescherming en die daardoor nogal eens gezien wordt als een bedreiging voor het pedagogisch belang, is de advocaat. Dit onderzoek richt zich hoofdzakelijk op de rol van de raadsman in jeugdstrafzaken: hoe de raadsman zijn minderjarige cliënt verdedigt en wat de grondslag vormt van zijn verdediging.[3] Er bestaat een grote verscheidenheid in het optreden van raadslieden in het jeugdstrafrecht en in de wijze waarop zij hun minderjarige cliënt verdedigen. Zo zijn er raadslieden die zich heel formeel juridisch opstellen tijdens de zitting en raadslieden die meer open lijken te staan voor overleg met de kinderrechter over een pedagogisch verantwoorde strafoplegging.[4] Waar komen deze verschillen nu vandaan? Welke rol speelt het (pedagogisch) belang van het kind in de verdediging van de minderjarige cliënt? Dient het pedagogisch belang, wanneer dit in conflict komt met de rechtsbescherming, te prevaleren boven rechtsbescherming of vormt de rechtsbescherming nu juist de grondslag van de verdediging door de raadsman?
Het onderzoek concentreert zich op de beantwoording van bovenstaande vragen en daarmee op het dilemma dat zich kan voordoen in de verdediging wanneer rechtsbescherming en pedagogisch belang ieder voor zich om een andere strafrechtelijke verdediging lijken te vragen. Wat de rol van de raadsman in jeugdstrafzaken in deze context is en moet zijn, wordt onderzocht met behulp van de wet, de literatuur en een opiniepeiling onder procesdeelnemers.
Voordat dieper op het genoemde dilemma wordt ingegaan, zullen er enkele achterliggende zaken te worden onderzocht, zoals de geschiedenis, de doelstelling, de regels en de praktijk van het jeugdstrafrecht, en de betekenis van de begrippen 'rechtsbescherming' en 'pedagogisch belang' in deze context.

---

[3] Ter wille van de leesbaarheid is ervoor gekozen om bij het noemen van de verschillende personen en functies in het jeugdstrafproces (advocaat, kinderrechter, officier van justitie, cliënt enz.) in afleidingen de grondvorm van het woord te nemen en in samenstellingen de meest gebruikte vorm te hanteren, in dit geval dus de mannelijke. Zo wordt in er bijvoorbeeld steeds verwezen naar de 'raads*man*', terwijl het uiteraard evengoed een vrouw kan betreffen. Tevens wordt steeds gesproken over 'hij' of 'zijn', waar ook 'zij' of 'haar' zou kunnen staan.

[4] Dit blijkt uit het door mij persoonlijk observeren van jeugdstrafzaken.

1.2 Probleemstelling

De probleemstelling luidt als volgt.

Welke rol speelt de raadsman in jeugdstrafzaken en hoe behoort hij in deze rol om te gaan met het mogelijke dilemma tussen rechtsbescherming en pedagogisch belang?

Deze probleemstelling wordt eerst onderzocht in de wetgeving en literatuur.[5] Daarna wordt de probleemstelling onderzocht in de praktijk door een onderzoek onder advocaten, kinderrechters en officieren van justitie.[6]

1.3 Opbouw

Dit onderzoeksrapport bestaat uit vier delen.

* **Het eerste deel** is de inleiding. In hoofdstuk 1 is het onderwerp van onderzoek aangegeven door een terreinafbakening, door het presenteren van de probleemstelling en met de opbouw van het onderzoeksrapport.
* **In het tweede deel** worden de resultaten van het literatuuronderzoek gepresenteerd. Dit deel bestaat om te beginnen uit een korte behandeling van de geschiedenis, de doelstelling en de regels van het jeugdstrafrecht en de betekenis van de begrippen rechtsbescherming en pedagogisch belang (hoofdstuk 2). In hoofdstuk 3 wordt de rol van de raadsman in jeugdstrafzaken behandeld en de probleemstelling uitgediept. In hoofdstuk 4 wordt de conclusie van het literatuuronderzoek uiteengezet en de uitdieping van de probleemstelling wordt weergegeven in een model.
* **In het derde deel** worden de resultaten van het praktijkonderzoek uiteengezet. Om te beginnen wordt er in hoofdstuk 5 een inleiding gegeven op het praktijkonderzoek en worden de onderzoeksvragen gepresenteerd. Deze onderzoeksvragen komen voort uit de conclusie van het literatuuronderzoek en zijn een verdieping van de probleemstelling. In hoofdstuk 6 wordt de methode van onderzoek uiteengezet. De resultaten van het praktijkonderzoek worden gepresenteerd in hoofdstuk 7, waarin de vragen uit de verstuurde vragenlijst en de antwoorden van de participanten worden gegeven. Conclusies van het praktijkonderzoek worden gegeven in hoofdstuk 8, waarin de resultaten worden gebruikt om de onderzoeksvragen te beantwoorden.

---

[5] Over dit onderwerp bestaat geen of weinig jurisprudentie, aangezien er in arresten zelden of nooit wordt ingegaan op de wijze waarop de raadsman zijn rol vorm geeft en welke mening daarover bestaat.

[6] De opinie van de andere personen en instanties die (kunnen) deelnemen aan het strafproces – de Raad voor de kinderbescherming, de hulpverlening, de gerechtssecretarissen, de cliënt en zijn ouders en overige betrokkenen – worden niet betrokken in het onderzoek, aangezien zij geen deel uitmaken van de driehoek van procesdeelnemers die het proces voeren én daarbij in principe altijd aanwezig zijn.
De rollen van andere personen en instanties dan de raadsman komen wel zijdelings aan de orde, maar dan voornamelijk bekeken door de ogen van advocaten, kinderrechters en officieren van justitie.

- **Het vierde deel** bestaat uit een slotbeschouwing van het onderzoek. In hoofdstuk 9 worden conclusies getrokken uit het onderzoek en wordt de maatschappelijke relevantie van het onderzoek bekeken. In hoofdstuk 10 worden ten slotte de geraadpleegde bronnen vermeld.

De rol van de raadsman in het jeugd-strafrecht: de literatuur

2 Het jeugdstrafrecht

2.1 Geschiedenis in het kort

In de negentiende eeuw werd de maatschappij zich in toenemende mate bewust van de verschillen tussen kinderen en volwassenen. Het geloof in de mogelijkheid van heropvoeding ontwikkelde zich en dit werkte door in de behandeling van minderjarigen in de praktijk van het strafrecht. Als reactie op deze veranderende opvattingen in de maatschappij en de veranderende behandeling van jeugdigen in de praktijk van het strafrecht ontstonden in 1901 de zogenoemde Kinderwetten.[7] Het bestaan van een afzonderlijk jeugdstrafrecht in Nederland werd hiermee een feit. Ons land was hiermee "in vergelijking met de andere Europese landen relatief vroeg".[8] Met de invoering van de Kinderwetten in 1901 werd de jeugdige in de praktijk van het strafrecht tot een object van hulpverlening en kwam het pedagogische belang van de jeugdige voorop te staan. De (onvrijwillige) hulpverlening en niet de bestraffing van de minderjarige voerde de boventoon: "Bescherming van de verwaarloosde jeugd is een van de peilers waarop de nieuwe wetgeving steunt".[9] Hierdoor week het jeugdstrafrecht sterk af van het volwassenenstrafrecht, niet alleen wat betreft de bestraffing door het afzonderlijke sanctiepakket, maar ook wat betreft het strafproces. Zo werden de volgende aparte regels geïntroduceerd: jeugdstrafzaken moesten achter gesloten deuren worden behandeld, elke minderjarige verdachte had recht op bijstand van een advocaat, bij de jeugdige verdachte moest onderzoek worden gedaan naar persoon en levensomstandigheden en de ouders of voogd werden betrokken bij de berechting.[10]

In dit nieuwe jeugdstrafrecht werd echter nog steeds recht gesproken door de 'gewone' strafrechter. Naar aanleiding van positieve geluiden uit de Verenigde Staten over het daar in 1899 ingevoerde *Juvenile Court* en met het oog op het speciale karakter van het jeugdrecht, ontstond er behoefte aan invoering van een speciale kinderrechter. Na een voorstel van de Nederlandse Juristen Vereniging in 1917 kwam de ontwikkeling in een stroomversnelling, waarna uiteindelijk in 1922 de functie van kinderrechter werd ingesteld.[11] Nederland was hiermee in vergelijking met de andere Europese landen overigens "relatief laat".[12] Met het ontstaan van de functie van kinderrechter werd tevens een 'driehoeksoverleg' ingevoerd, waarmee er overleg over vervolgingsbeslissingen moest plaatsvinden tussen de kinderrechter, de officier van justitie en de Raad voor de kinderbescherming. Door de invoering van dit driehoeksoverleg werd het vervolgingsmonopolie van het Openbaar Ministerie aangetast en werd de *trias politica* doorbroken. Dit werd gerechtvaardigd door het feit dat de rechter uiteindelijk moest beslissen wat het beste was voor het kind, en

---

[7] Kinderwetten: 12 februari 1901 (Stb. 63).

[8] Aldus Bac 1998, p. 294-295.

[9] Aldus Verpalen 1991, p. 9.

[10] Doek en Vlaardingerbroek 1993, p. 219.

[11] Wet van 5 juli 1921 (Stb. 834).

[12] Aldus Bac 1998, p. 294-295.

dat de inhoud van dit hogere doel na overleg met de officier en de Raad voor de rechter beter te overzien zou zijn.

Na de Tweede Wereldoorlog werd de commissie-Overwater ingesteld, om voorstellen te doen voor een herziening van het jeugdstrafrecht. Het rapport van de commissie wees er onder meer op dat een jeugdige niet als volwassene moet worden gezien en dat "De grootste fout die men bij de beoordeling van handelingen van een kind kan maken [...] is dat men aan het kind de maatstaf van een volwassene aanlegt en dat men hem als een volwassene wil zien reageren".[13] Het uitgangspunt dat jeugdigen anders zijn dan volwassenen en dus ook anders moeten worden behandeld bij de toepassing van het strafrecht, zal volgens de commissie bewaakt dienen te worden: "De straf, die een jeugdige aan wie het feit kan worden toegerekend wordt opgelegd, zal enerzijds aspecten van vergelding, generale en speciale preventie in zich dienen te hebben, maar nooit in die mate dat de jeugdige erdoor wordt geschaad" (eveneens geciteerd in de inleiding).[14] Het rapport van de commissie vormt uiteindelijk de basis van de wetsvoorstellen van 1955. Deze wetsvoorstellen leidden tot de wet van 1961, die met haar inwerkingtreding in 1965 zorgde voor enkele belangrijke wijzigingen in het jeugdstrafrecht. Zo kreeg de Raad voor de kinderbescherming een duidelijke adviserende en toelichtende taak en werd het sanctiepakket nog verder uitgebreid. Ook de taken van de kinderrechter werden verder uitgebreid doordat hij meer bevoegdheden kreeg bij de tenuitvoerlegging van sancties.[15] Vanaf de jaren '60 was men echter volgens De Mare "[..] in de samenleving steeds meer gaan denken in het hebben van rechten en de wijze waarop men van de rechten gebruik kon maken [...] vanuit die emancipatorische visie past het beeld van een mondige minderjarige verdachte die in staat moet worden geacht, met enige hulp van buitenaf (hulpverlening, advocatuur), ook in het strafprocesrecht voor zichzelf op te kunnen komen."[16] Dit was het begin van de opkomst van de juridiseringsgedachte (zie ook 2.6).

Sinds het ontstaan van de Kinderwetten had echter de beschermingsgedachte (zie ook 2.6) de boventoon gevoerd in het jeugdstrafrecht. Maar "De bedoeling dat het jeugdstrafrecht ook strafrecht zou zijn, kwam niet helemaal uit [...] [De beschermingsgedachte] werkte in de hand, dat begrippen als schuld en toerekenbaarheid in strijd met de bedoeling een ondergeschikte rol gingen spelen bij de berechting van jeugdigen".[17] Als gevolg van de steeds luider wordende kritiek uit de maatschappij op deze uitwerking van de beschermingsgedachte in de praktijk van het jeugdstrafrecht, werd met de wetsherziening in 1995 - aan de hand van het wetsvoorstel van 1989 op basis van het eindrapport van de commissie-Anneveldt - het jeugdstrafprocesrecht herzien.[18] De oorzaak van deze herziening wordt voornamelijk gezien in de toename van de mondigheid van de burgers en daarmee ook van de minderjarigen: "Dit wetsontwerp bevat de uitkomst voor de strafrechtstoepassing van een 20 jaar geleden op gang gekomen discussie en daarmee samenhangende ontwikkeling. In

---

[13] Commissie-Overwater 1951, zie Verpalen 1991, p. 12.

[14] Commissie-Overwater 1951, zie Verpalen 1991, p. 12.

[15] Doek & Vlaardingerbroek 1993, p. 223.

[16] De Mare 1998, p. 9.

[17] Aldus Verpalen 1991, p. 10.

[18] Kamerstukken II 1989/90, 21 327 en Commissie-Anneveldt 1982.

plaats van bevoogding en bescherming van de jeugdige staat diens toegenomen mondigheid voorop. Deze vereist een versterking van zijn rechtspositie."[19] Door deze toegenomen mondigheid en door de invloed van met name artikel 6 van het Europees Verdrag tot bescherming van de rechten van de mens (EVRM) – *fair trial*, onpartijdige en onafhankelijke rechtspraak en *trias politica* – verdween de overtuiging dat de kinderrechter weet wat het beste is voor het kind en won de juridiseringsgedachte terrein. De voorstellen van de commissie-Anneveldt bouwden voort op deze veranderingen in de maatschappelijke opvattingen, en strekten op strafvorderlijk terrein onder andere tot een afbouw van de centrale positie van de kinderrechter. Hiermee kwam een einde aan de dubbelfunctie van de kinderrechter als onderzoeks-, raadkamer- en zittingsrechter. Verder werd het driehoeksoverleg afgeschaft, het vervolgingsmonopolie van het Openbaar Ministerie werd hersteld en de officier van justitie kreeg het initiatief bij de executie terug. Het karakter van de kinderrechter werd hierdoor -conform het EVRM en net als de 'gewone rechter' - onafhankelijk en onpartijdig. De wetsherziening van 1995 realiseerde tevens een verbeterde rechtspositie van de minderjarige verdachte door onder meer het creëren van de mogelijkheid om bezwaar te maken wanneer verdachte van mening is dat hij ten onrechte terecht staat en van de mogelijkheid voor de verdachte *onder* de 16 jaar om zelf (los van zijn raadsman) beroep in te stellen.[20] De meest belangrijke kenmerken van het jeugdstrafrecht bleven echter bestaan:

> Nog steeds vindt de zitting in jeugdstrafzaken in beginsel achter gesloten deuren plaats, nog steeds zijn de ouders betrokken bij de procedure en nog steeds is de verdachte verplicht te verschijnen ter zitting.[21]

De voorstellen van de commissie-Anneveldt op strafvorderlijk terrein strekten dus onder meer tot versterking van de positie van de minderjarige als rechtssubject. De memorie van toelichting op het wetsvoorstel zegt hierover het volgende.

> De voorstellen van de commissie-Anneveldt leiden er in de praktijk toe dat het kinderstrafrecht zich verwijdert van het civiele recht en zich dichter aan vlijt tegen het strafrecht voor meerderjarigen. Dit is een logisch gevolg van het minder bevoogdend karakter van het voorgestelde kinderstrafrecht. [...] Wat betreft het formele strafrecht komt het uitgangspunt van de grotere mondigheid van de minderjarige tot uitdrukking in een versterking van zijn rechtspositie ten koste van de bevoegdheden van de overheid maatregelen te treffen die mogelijk bevoogdend uitwerken. [...] Ook hier leiden de voorgestelde wijzigingen [...] tot een geringere afwijking van het kinderstrafrecht ten opzichte van het volwassenenstrafrecht.[22]

Dit geringer wordende verschil tussen jeugdstrafrecht en volwassenenstrafrecht wordt tevens benadrukt door Schalken:

> Aan de ene kant heeft zich een ontwikkeling voltrokken op grond waarvan het strafrecht voor volwassenen een humaner karakter heeft gekregen doordat de persoonlijkheid van de dader ook daar een meer centrale rol ging spelen, aan de andere kant is de

---

[19] Aldus Verpalen 1991, p. 2.

[20] De Mare 1998, p. 9.

[21] Aldus Bac 1998, p. 294-295.

[22] Kamerstukken II 1991/92, 21 327, nr. 3, p. 4 en 7.

stroming in het jeugdstrafrecht die erkenning van meer rechten voor de jeugdige verdachte en verbetering van diens rechtspositie bepleitte, steeds sterker geworden.[23]

Ook uit een recent onderzoek van het Wetenschappelijk Onderzoek- en Documentatie Centrum (WODC) naar de praktijk van het jeugdstrafrecht sinds 1995 blijkt dat het jeugdstrafrecht en het volwassenenstrafrecht aan het eind van de vorige eeuw nog steeds verder in elkanders richting werden gestuurd: er wordt gesteld dat een van de doelen van het nieuwe jeugdstrafrecht is dat de rechtspositie van de jongere meer in overeenstemming wordt gebracht met de rechtspositie van de volwassene.[24] Bij deze ontwikkeling rijst echter de vraag of een versterking van de rechtspositie van de minderjarige – en daarmee een geringer verschil tussen het jeugdstrafrecht en het volwassenenstrafrecht – zou betekenen dat het pedagogische element uit het jeugdstrafrecht zou verdwijnen. In de memorie van antwoord wordt deze vraag ontkennend beantwoord.

Dit betekent niet dat het pedagogische element in het jeugdstrafrecht is verdwenen. Het is juist dit element dat het zijn bijzondere rechtvaardiging, zo men wil de rechtsgrond, verleent. [...] Het wetsvoorstel geeft dit pedagogische element echter een andere invulling door de verlegging van het accent in de verhouding tussen enerzijds het bevoogdende element in het jeugdstrafrecht en anderzijds het rechtsbeschermende element. Het gaat ervan uit dat het om pedagogische redenen wenselijk is de eigen verantwoordelijkheid en de eigen rechten op strafvorderlijk gebied duidelijker tot uitdrukking te brengen. Daartoe is nodig de jeugdige meer als rechtssubject te bejegenen.[25]

In de memorie van antwoord wordt verder betoogd dat de "ogenschijnlijke dilemma's" - ten eerste dat van de beschermingsgedachte versus de versterking van de strafprocessuele positie (MvA p. 6-7) en ten tweede dat van het belang van de samenleving versus het pedagogisch belang van de verdachte (MvA p. 14) - geen "werkelijke" dilemma's zijn omdat het geen afweging van werkelijk tegengestelde belangen betreft. Om erachter te komen in hoeverre deze zienswijze wordt ondersteund in de literatuur en de praktijk, dient het jeugdstrafrecht en de rol van de rechtsbescherming en het pedagogisch belang daarbinnen verder te worden onderzocht.

2.2   Doelstelling en middelen

2.2.1   Doelstellingen van volwassenenstrafrecht en jeugdstrafrecht
Aan het jeugdstrafrecht worden verschillen in haar doelstelling ten opzichte van het volwassenenstrafrecht toegeschreven. De afwijkende bepalingen van jeugdstrafrecht en jeugdstrafprocesrecht zijn een direct gevolg van deze afwijkende doelstelling. Voor het vinden van een rechtvaardiging voor een jeugdstrafrecht dat afwijkt van het volwassenenstrafrecht zal dus naar de verschillen tussen de doelstellingen moeten worden gekeken.

---

[23] Schalken 1983, p. 236.

[24] Kruissink & Verwers 2001, p. 73.

[25] Kamerstukken II 1991/92, 21 327, nr. 6, p. 5-6.

Over een exacte afbakening van de doelstelling van het strafrecht in het algemeen is veel discussie mogelijk. Er is veel geschreven over de verschillende strafrechtstheorieën waarin strafgrond en strafdoel centraal staan. Een uitgebreide beschouwing hierover gaat dit stuk echter te buiten. Wel kan worden gezegd, dat er bij de beschrijving van de strafrechtstheorieën een aantal verschillende aspecten meermalen naar voren komen als doel van het strafrecht, namelijk de vergelding, generale preventie, speciale preventie en beveiliging.[26]

Niet alleen in de doelstelling van het volwassenenstrafrecht, maar ook in de doelstelling van het jeugdstrafrecht spelen de hierboven genoemde aspecten een rol, maar deze worden volgens Heiner & Bartels "ondergeschikt gemaakt aan 'het belang van het kind'".[27] Ook Corstens stelt dat het accent in het jeugdstrafrecht meer op de bescherming van de jeugdige mag liggen dan "[...], zoals in strafrechtspleging bij volwassenen, op generale preventie". Corstens voegt hier echter aan toe dat deze gedachte op basis van de erkenning van de toegenomen mondigheid van jeugdigen voor een deel verlaten is in de wetsherziening van 1995.[28] Boutellier en Weijers gaan een stap verder door te stellen dat straf, preventie, opvoeding en bescherming een vermenging van doelen vormen die in de loop van de vorige eeuw telkens in andere verhouding tot elkaar stonden, maar dat het pedagogisch motief het bij de wetsherziening van 1995 heeft afgelegd tegen "het strafrechtelijk instrumentalisme".[29]

Het pedagogisch element van het jeugdstrafrecht is door de wetsherziening echter niet verdwenen – zo blijkt uit de memorie van antwoord – want het is juist dit element dat het zijn bijzondere rechtvaardiging, zo men wil de rechtsgrond, verleent (zie ook de vorige paragraaf). Dit wordt ondersteund door de resultaten van een onderzoek van Kruissink & Verwers (2001) waarin het nieuwe jeugdstrafrecht van 1995 tot 2000 wordt geëvalueerd:

> Vóór de invoering vreesden critici dat het pedagogisch karakter van het van het jeugdstrafrecht met de herziening grotendeels verloren zou gaan. In de interviews is deze kwestie aan de orde gesteld. [...] Meer dan de helft van de geïnterviewden vindt dat het nieuwe jeugdstrafrecht net zo sterk als het oude een pedagogisch karakter heeft. [...] De overige respondenten zijn in twee kampen te verdelen: zij die menen dat het nieuwe jeugdstrafrecht veel pedagogischer is dan het oude en zij die de tegengestelde mening zijn aangedaan. [...] Tegenover deze kritische geluiden over de pedagogische component van het nieuwe jeugdstrafrecht staat een ongeveer even groot aantal reacties van geïnterviewden die vinden dat het nieuwe jeugdstrafrecht juist veel pedagogischer van karakter is dan het vroegere.[30]

Dit wil zeggen dat volgens ongeveer driekwart van de geïnterviewden de pedagogische component van het huidige jeugdstrafrecht ten minste net zo sterk is als vóór de wetsherziening van 1995.

---

[26] Enschedé/Rüter & Stolwijk 1995, p. 9-13, en Van Bemmelen & Van Veen/De Jong & Knigge 1998, p. 16-26.

[27] Heiner & Bartels 1989, p. 59.

[28] Corstens 1999, p. 773.

[29] Boutellier & Weijers 2001, p. 36.

[30] Kruissink & Verwers 2001, p. 77-78.

Daaruit kan worden afgeleid dat de vergelding en de generale preventie in het jeugd-strafrecht – ook na de wetsherziening van 1995 – nog altijd ondergeschikt zijn aan het pedagogisch belang van de verdachte. In het volwassenenstrafrecht wordt er in het proces dan ook meer gekeken naar het gepleegde feit en de mate waarin het feit de belangen van de maatschappij heeft geschaad, terwijl er in het jeugdstrafrecht over het algemeen nog altijd meer aandacht is voor de persoon van verdachte en diens belangen: "Waar vervolging onontkoombaar is, wordt in het jeugdstrafrecht met de jeugdige leeftijd van de verdachte rekening gehouden door deze meer als persoon dan als zelfstandige procespartij te zien".[31] De persoon van de minderjarige en zijn omstandigheden staan voorop, niet het gepleegde feit.[32]

Het verschil in prioriteiten binnen de doelstellingen van jeugdstrafrecht en volwas-senenstrafrecht wordt gerechtvaardigd door de stelling dat kinderen nu eenmaal anders zijn dan volwassenen en daarom een speciale (pedagogische) behandeling behoeven.[33] Minderjarigen worden geacht in mindere mate dan volwassenen in staat te zijn om volledige verantwoordelijkheid voor hun eigen gedrag te nemen en de consequenties van hun gedrag te overzien.[34] De minderjarige "wordt in het recht anders dan de volwassene niet in beginsel ten volle verantwoordelijk gesteld voor zijn gedragingen" en heeft om die reden geen volledige rechtssubjectiviteit.[35] Min-derjarigen worden tevens geacht gemakkelijker te sturen te zijn, zij zijn nog niet "uitgegroeid"[36] en daardoor nog (her)opvoedbaar. Onder dit '(her)opvoeden' wordt in het jeugdstrafrecht verstaan het sturen van de minderjarige in een sociaal wenselijke richting: bij voorkeur de richting van een positieve ontwikkeling op het goede pad.[37] Hiervoor is een van de eerste vereisten dat hij het criminele circuit verlaat, ofwel het voorkomen van recidive (=speciale preventie).[38] Dit zal echter niet alleen in het belang zijn van de minderjarige, maar ook in het belang van de maatschappij. De maatschappij is immers gebaat bij een goede (lees: geen negatieve) ontwikkeling van haar jeugd. Mede daardoor prevaleert het belang van een positieve ontwikkeling van het kind in eerste instantie boven andere maatschappijbelangen als de vergel-ding.[39]

---

[31] Aldus Verpalen 1989, p. 224.

[32] Aldus Heiner & Bartels 1989, p. 59.

[33] Aldus ook Corstens 1999, p. 773, Van Sloun 1989, p. 200, en Bartels, J.A.C. 1988, p. 226.

[34] Aldus ook Kamerstukken II 1991/92, 21 327, nr. 6, p. 5-6.

[35] Aldus Corstens 1999, p. 773.

[36] Aldus Corstens 1999, p. 773.

[37] Zie ook Heiner & (A.A.J.) Bartels 1989, p. 62.

[38] Aldus ook Bruins 1991, p. 188.

[39] Zie ook Bartels & Fokkens 1977, p. 169.

2.2.2 Middelen om de doelstelling te bereiken

Het is natuurlijk te hopen dat het bestaan van het strafrecht *op zich*, voldoende preventief werkt en dus voldoende middel is tot het bereiken van de doelstelling van het strafrecht. Voor zover dit niet zo is, zal het strafrecht echter *moeten worden toegepast*. Uit de vorige paragraaf blijkt dat het binnen de doelstelling van het jeugdstrafrecht valt dat de strafrechtelijke reactie een opvoedkundig karakter draagt.[40] De speciale preventie en mede daardoor een goede ontwikkeling van de delinquente minderjarige zullen dan dus proberen te worden bereikt door een *passende strafrechtelijke reactie* te geven op het plegen van een strafbaar feit. Met een passende reactie wordt bedoeld een pedagogisch verantwoorde afdoening, met andere woorden: een afdoening in het belang van het kind (de beschermingsgedachte). Dit gaat echter niet zo ver dat de schuldgedachte moet wijken voor het belang van het kind: zonder verwijtbaarheid van de strafbare gedraging kan er, net als in het volwassenenstrafrecht, geen straf worden opgelegd.[41]

Er zal dus bij het beantwoorden van de vraag welke straf of maatregel moet worden toegepast (zie art. 350 Sv) een samenspel moeten zijn tussen het voorkomen van recidive en het pedagogisch belang van de minderjarige. Immers, het stoppen van de negatieve ontwikkeling van de minderjarige delinquent alléén, zal niet automatisch een positieve ontwikkeling van de minderjarige op gang brengen en in stand houden. Dit samenspel zal idealiter tot gevolg hebben dat de minderjarige ten eerste begrijpt dat zijn criminele gedrag fout is, ten tweede dat hij het rechte pad op *wil* gaan en ten derde dat hij ook *daadwerkelijk* het rechte pad op gaat en (met de nodige ondersteuning) begint met het opbouwen van een niet-criminele carrière.

2.3 De wet

De afwijkende bepalingen van jeugdstrafrecht – die voortvloeien uit de afwijkende doelstelling – zijn te vinden in titel VIII A van boek I van het Wetboek van Strafrecht (art. 77a-77gg). Deze bepalingen voorzien hoofdzakelijk in een afwijkend sanctiepakket dat enkele "specifieke straffen voor jeugdige personen inhoudt", alsmede "een aantal voorschriften omtrent de wijze van tenuitvoerlegging daarvan".[42]
De afwijkende bepalingen van het jeugdstrafprocesrecht zijn neergelegd in titel II van boek IV van het Wetboek van Strafvordering (art. 486-505). De meest in het oog springende strafprocesrechtelijke afwijkingen zijn de verschillende functies van de kinderrechter (art. 492 Sv: de rechter-commissaris die de bewaring beveelt én de zittingsrechter), de beslotenheid van de zitting (art. 495b lid 1 Sv), de verplichte verschijning in persoon van de verdachte (art. 495a Sv) en de rol van de ouders/voogd (art. 496 lid 1 jo 488 lid 3 Sv: opgeroepen tot bijwonen van de terecht-

---

[40] Aldus ook Bruins 1991, p. 188.

[41] Aldus ook Bruins 1991, p. 188.

[42] Verpalen 2000, p. 379.

zitting en art. 496 lid 2 Sv: de gelegenheid om het woord ter verdediging van de verdachte te voeren).[43]

2.4 De betekenis van 'rechtsbescherming' in het jeugdstrafrecht

Het begrip 'rechtsbescherming' wordt veel gebruikt in de literatuur, zonder dat het wordt gedefinieerd. Zo ook in de memorie van toelichting bij het wetsvoorstel van 1989, waarin onder het kopje "De rechtsbescherming" een aantal maatregelen worden aangekondigd die een goede rechtsbescherming van de jeugdige zullen waarborgen. Deze maatregelen bestaan uit het verplichten van de officier van justitie om inlichtingen en advies in te winnen bij de Raad voor de kinderbescherming opdat hij zich een oordeel kan vormen over de verdachte en over geschikte arbeid, en uit de ambtshalve toevoeging van een raadsman bij een door de officier van justitie gestelde voorwaarde van meer dan 20 uur dienstverlening.[44] Verder wordt er – in tegenstelling tot de inhoud van het begrip 'pedagogisch belang' – niet gerept over de inhoud van het begrip rechtsbescherming. Kennelijk is het een begrip waarvan de betekenis weinig discussie oplevert. De vraag blijft echter of iedereen er ook daadwerkelijk hetzelfde onder verstaat.

Van Dale (12^e uitgave, 1992) omschrijft rechtsbescherming als "bescherming wat betreft de rechtspositie". Rechtspositie wordt vervolgens omschreven als de "positie waarin de rechten en plichten juridisch zijn vastgelegd". Samengevat is de taalkundige definitie van rechtsbescherming: bescherming van juridisch vastgelegde rechten en plichten. De juridische vertaling van deze taalkundige uitleg zou kunnen zijn het bewaken van regels van behoorlijk procesrecht. De rechtsbescherming wordt ook vrij algemeen in verband gebracht met het bewaken van regels van behoorlijk procesrecht. Zo kunnen de bovengenoemde rechtsbeschermende regels uit de memorie van toelichting worden gezien als regels van behoorlijk procesrecht. Of 'het bewaken van regels van behoorlijk procesrecht' ook als een complete omschrijving van rechtsbescherming kan worden beschouwd, blijft onduidelijk.

2.5 De betekenis van 'het belang van het kind' in het jeugdstrafrecht

2.5.1 Definitie van 'het belang van het kind' in het jeugdstrafrecht

'Het belang van het kind' is een veel aangehaalde - maar weinig eenduidig gedefinieerde – term, die vaak als rechtvaardiging van handelen ten opzichte van jeugdigen wordt gehanteerd. Zo ook in het strafrecht, waarin de strafrechtelijke reactie op de minderjarige verdachte in belangrijke mate wordt afgestemd op het belang van het kind. Onder 'het belang van het kind' in het jeugdstrafrecht wordt over het algemeen een 'opvoedingsbelang' – ofwel een pedagogisch belang – verstaan.[45] Maar wat dit pedagogisch belang van het kind nu precies is, blijft onduidelijk.

---

[43] Verpalen 2001, p. 1090-1091.

[44] Kamerstukken II 1991/92, 21 327, nr. 3, p. 19.

[45] Aldus ook Verpalen 1991, p. 16, en Bartels, J.A.C. 1988, p. 228.

Dat er geen definitie vaststaat van het begrip 'pedagogisch belang', wil niet zeggen dat het geen begrip is. Het wil ook niet zeggen dat niemand heeft geprobeerd om het te definiëren. Het wil eerder zeggen dat dit begrip zo veelomvattend en voor vele interpretaties vatbaar is, dat de betekenis ervan moeilijk door middel van één (simpele) definitie valt weer te geven. Verder speelt uiteraard ook een rol dat het pedagogisch belang van elke minderjarige anders kan zijn. De vraag is nu of er wel een algemene definitie van dit begrip valt te geven.

Uit 2.2 blijkt dat het pedagogisch belang zowel een rol speelt in de doelstelling van het jeugdstrafrecht, als in het bepalen van de middelen die deze doelstelling moeten helpen bereiken. Hier kwam tevens naar voren dat de speciale preventie nauw verbonden is met het pedagogisch belang als doelstelling, omdat een voorwaarde voor een positieve ontwikkeling van de minderjarige delinquent is dat hij niet recidiveert. Wat er verder onderdeel uitmaakt van het pedagogisch belang als doelstelling van het jeugdstrafrecht, en welke middelen er nodig zijn om deze doelstelling te bereiken, weten we hiermee echter nog niet.

Kruissink & Verwers geven als algemene definitie van wat er onder het 'pedagogisch karakter' van het jeugdstrafrecht moet worden verstaan: "dat er sprake is van een zodanige aanpak dat de negatieve ontwikkeling van het kind stopt en zo mogelijk wordt omgebogen in een positieve".[46] Een dergelijke algemene definitie van het pedagogisch belang van de minderjarige verdachte geeft echter enkel een vertaling van het begrip als onderdeel van de doelstelling van het jeugdstrafrecht. Een nadere invulling van wat het pedagogisch belang in concreto vereist van het jeugdstrafrecht, zal pas duidelijk maken of en hoe het strafrecht daadwerkelijk kan bijdragen (af afdoen) aan het pedagogisch belang van de minderjarige verdachte.[47] Om een poging te doen de middelen van het jeugdstrafrecht die het pedagogisch belang van de minderjarige verdachte kunnen ondersteunen nader in te vullen – of ten minste te verhelderen – moet er onderscheid worden gemaakt tussen het strafproces als pedagogisch middel en de strafrechtelijke reactie (sanctie) als pedagogisch middel. Deze tweeledigheid van het pedagogisch karakter in de toepassing van het jeugdstrafrecht wordt ook naar voren gebracht door een van de geïnterviewden in het eerdergenoemde onderzoek van Kruissink & Verwers:

> Illustratief is de volgende uitspraak van een kinderrechter: '[...] Het pedagogisch karakter zit hem niet alleen in de regels en de straffen maar juist ook in de manier waarop de kinderrechter ermee omgaat op de zitting, zo van: "wat vind je er nou zelf van?"[...]'[48]

2.5.2 Het pedagogisch belang in het strafproces

Hoe er in het strafproces met de minderjarige verdachte dient te worden omgegaan om dit tot een pedagogisch verantwoord proces te maken, is niet gemakkelijk te beantwoorden. Ondanks het feit dat een complicerende factor is dat dit per minderjarige en per geval kan verschillen, zijn er misschien toch een aantal onderdelen in het

---

[46] Kruissink & Verwers 2001, p. 77.

[47] Zie ook Kruissink & Verwers 2001, p. 77 voor een nadere uiteenzetting van hoe de pedagogische aanpak zich volgens hen kan manifesteren in het strafproces en in de strafrechtelijke reactie.

[48] Kruissink & Verwers 2001, p. 77.

proces die over het algemeen kunnen worden beschouwd als 'pedagogische middelen'. Uit de literatuur komen een aantal – soms onderling tegenstrijdige – ideeën naar voren. Zo stelt Verpalen dat het in het belang van de minderjarige is om niet voor volwassene te worden aangezien,[49] terwijl Doek beargumenteert dat het jeugdstrafrecht kinderen niet klein moet houden.[50] Mijns inziens gaat het wat betreft het pedagogisch effect van het wel of niet als volwassene behandelen van een minderjarige niet zozeer om het al dan niet *als volwassene behandelen*, maar meer om het al dan niet *serieus nemen van een minderjarige als volwaardig persoon*. Een minderjarige dient als een volwaardig persoon behandeld worden zonder dat er vergeten mag worden dat deze persoon minderjarig is, of, zoals Mijnarends het verwoordt:

Voorkomen moet worden dat de notie van kinderen als subject van mensenrechten 'vertaald' wordt als 'adultism': behandel kinderen als volwassenen, als ze misdrijven kunnen plegen kunnen ze ook als volwassenen worden gestraft. Meer rechten sluiten welzijn niet uit: artikel 40 van het IVRK [Internationaal Verdrag voor de rechten van het kind] geeft duidelijk aan dat het strafproces child-centered-oriented moet zijn: 'the right to be treated in a manner consistent with the promotion of the child's sense of dignity and worth, which reinforces the child's respect for the human rights and fundamental freedoms of others and which takes into account the child's age and the desirability of promoting the child's reintegration and the child's assuming a constructive role in society'.[51]

Om te helpen waarborgen dat het strafproces 'child-centered-oriented' – zoals in het bovenstaande citaat van Mijnarends – is en blijft, is de aandacht voor de persoonlijke omstandigheden van de minderjarige verdachte een belangrijk middel. Deze aandacht voor de persoonlijkheid van de minderjarige in het proces heeft namelijk volgens Doek (1981) uiteindelijk tot doel een zo goed mogelijk onderbouwd antwoord te geven op de vraag "[...] welke strafrechtelijke reactie gelet op de persoon van de verdachte de meest pedagogische is ('het meest in het belang van dat kind is')".[52]

In de memorie van antwoord op het wetsvoorstel voor de wetsherziening van 1995 wordt een stap verder gegaan dan Mijnarends met haar stelling dat 'meer rechten welzijn niet uitsluiten'. Hier wordt namelijk – zoals in de inleiding en in 2.1 al aan de orde is gekomen – gesteld dat ook een grotere rechtsbescherming voortvloeit uit pedagogische overwegingen.[53] Het is in het pedagogisch belang van de minderjarige dat zijn rechtspositie wordt beschermd.[54]

In de memorie van antwoord op het wetsvoorstel voor de wetsherziening van 1995 komt verder de verschijningsplicht naar voren als voorwaarde voor een pedagogisch proces:

---

[49] Verpalen 1989, p. 219.

[50] Doek 1981, p. 39.

[51] Mijnarends 1995, p. 184.

[52] Doek 1981, p. 26.

[53] Kamerstukken II 1991/92, 21 327, nr. 6, p. 5-7.

[54] Aldus ook Heiner & (A.A.J.) Bartels 1989, p. 62.

Het lijkt mij voor de jeugdige van pedagogisch belang persoonlijk te worden geconfronteerd met de overheid indien strafbaar gedrag daartoe aanleiding geeft.[55]

Mijns inziens is er nog een heel belangrijke voorwaarde waaraan moet zijn voldaan, wil het strafproces een pedagogisch middel zijn: de voorwaarde dat de minderjarige verdachte moet begrijpen hoe het strafproces verloopt en wat de rol is van de verschillende procesdeelnemers en betrokkenen. Hoe het proces feitelijk op de minderjarige verdachte overkomt, is moeilijk te peilen, maar zeker is dat met name het optreden van de verschillende procesdeelnemers hierbij van groot belang is. Uit deze voorwaarde vloeit tevens voort dat het proces zo snel mogelijk dient te volgen op het plegen van het strafbare feit. Dit wordt benadrukt door een advocaat in de evaluatie van de nieuwe wetgeving van Kruissink & Verwers:

> Een andere respondent, een advocaat, zegt dat het pedagogisch element 'helemaal zoek is' door de veel te lange doorlooptijden. Volgens deze advocaat is het voor kinderen niet te begrijpen (en voor de ouders evenmin) dat zij soms pas na een half jaar – of zelfs nog langer na het plegen van een feit voor de rechter moeten verschijnen. Vanuit pedagogisch oogpunt gezien is dat zeer onjuist, zo meent deze geïnterviewde.[56]

Samengevat, kom ik tot de volgende definitie van het pedagogisch belang in het strafproces:

> Het pedagogisch belang van het kind in het strafproces houdt in dat de minderjarige verdachte door middel van een 'child-centered-oriented' en op zijn minderjarige doch volwaardige persoonlijkheid toegespitst strafproces, in persoon en binnen afzienbare na het rijzen van de verdenking op een voor hem begrijpelijke manier wordt geconfronteerd met de overheid.

2.5.3 Het pedagogisch belang in de strafrechtelijke reactie

Een algemene omschrijving van het pedagogisch belang van de minderjarige delinquent in de strafrechtelijke reactie kan – in aansluiting op de in 2.4.1 genoemde definitie van Kruissink & Verwers – zijn dat er op het gepleegde strafbare feit een reactie volgt die ervoor zorgt dat zijn negatieve ontwikkeling uiteindelijk mede door hemzelf wordt stopgezet en wordt omgezet in een positieve ontwikkeling.

Deze omschrijving geeft echter geen antwoord op de vraag welke reactie dit voor elkaar kan krijgen. Het zoeken naar de meest geschikte middelen van het jeugdstrafrecht om het pedagogisch belang positief te beïnvloeden, levert zeer uiteenlopende en onderling tegenstrijdige antwoorden op en daarmee ook de volgende vragen. Zijn deze middelen eigenlijk wel te vinden binnen het huidige jeugdstrafrecht? En zo ja, welke mogelijkheden van het jeugdstrafrecht zijn nu de *beste* pedagogische middelen?

De meningen verschillen over wat in de meeste gevallen een positief of negatief effect heeft op het pedagogisch belang van de minderjarige. Zo zegt Brons dat het in het belang is van de jeugdige delinquent wanneer hij zo min mogelijk straf krijgt, terwijl Bartels stelt dat het in het opvoedingsbelang van de jeugdige is wanneer hij

---

[55] Kamerstukken II 1991/92, 21 327, nr. 6, p. 26.

[56] Kruissink & Verwers 2001, p. 78.

wordt gestraft en dat het achterwege laten van straf in strijd kan zijn met het opvoedingsbelang.[57] Zo zijn er in de literatuur nog wel meer tegenstrijdige ideeën te vinden over de wijze waarop het jeugdstrafrecht een positieve of negatieve invloed kan uitoefenen op het pedagogisch belang van de minderjarige delinquent.

Deze verschillen van mening zijn mogelijk te wijten aan het feit dat het – evenals tijdens het strafproces – op het gebied van straffen per kind kan verschillen wat hij pedagogisch gezien voor reactie nodig heeft. Kinderen verschillen net als volwassenen in de soort en de mate van straf die zij nodig hebben om in te zien dat hun strafrechtelijk handelen maatschappelijk niet aanvaardbaar is (vooropgesteld dat zij dat besef krijgen) en dat zij hun gedrag dienen te veranderen. De belevingswereld wat betreft het straffen verschilt per kind door factoren als opvoeding en cultuur. Het ene kind heeft door het simpele feit dat het een strafbaar feit op zijn geweten heeft al genoeg straf gehad om niet in herhaling te vallen, terwijl het andere kind door middel van leerstraf, werkstraf of zelfs detentie geconfronteerd dient te worden met de gevolgen van zijn handelen voordat het wordt weerhouden om te recidiveren. Zo is bestraffend toespreken voor het ene kind een zware straf, terwijl het andere kind daar totaal niet van onder de indruk is.

Is het wel reëel om het jeugdstrafrecht te zien als pedagogisch middel wanneer er per delinquent onderzocht zal moeten worden of en welke straf het meest pedagogisch is? Ook Doek vroeg zich dit af en beantwoorde deze vraag ontkennend:

> Het is niet in het belang van het kind via het kinderstrafrecht veel (veelal fraai verwoorde) opvoedkundige aspiraties na te jagen; heropvoeding tot braaf en nuttig burger is in het algemeen al hoog gegrepen en voor het kinderstrafrecht zeker te hoog.[58]

Betekent dit nu dat het jeugdstrafrecht geen pedagogisch doel kan blijven nastreven? Dit is mijns inziens niet het geval. In het algemeen kan immers worden gezegd dat de meeste kinderen via (enige vorm van) straf leren inzien dat zij fout hebben gehandeld en dat zij daardoor waarden en normen (kunnen) aanleren. Welke strafrechtelijke reacties het meest pedagogisch zijn en daarmee het meest kans maken om aan de doelstelling tegemoet te kunnen komen, zal (onderzoek naar) de praktijk moeten uitwijzen.

Ook bij het bepalen van de meest pedagogische strafrechtelijke reactie(s) is het feit dat dit per minderjarige en per geval kan verschillen een complicerende factor. Maar er is ten minste één eigenschap van het straffen die over het algemeen kan worden beschouwd als een voorwaarde voor het pedagogisch effect van de straf. Voor een positief effect van de strafrechtelijke reactie op het pedagogisch belang van de minderjarige is het immers van groot belang dat de reactie – evenals het strafproces, zoals is betoogd in de vorige paragraaf – *zo snel mogelijk* volgt op het plegen van het strafbare feit. De minderjarige moet immers nog wel het verband kunnen zien tussen daad en strafoplegging. Dit komt ook naar voren in de memorie van toelichting op het wetsvoorstel van de wetsherziening van 1995:

---

[57] Brons 1981, p. 361, Bartels, J.A.C. 1995, p. 3.

[58] Doek 1981, p. 39-40.

Een snelle strafrechtelijke reactie in geval van jeugdige delinquenten vormt een opvoedkundig belang.[59]

Wanneer de algemene omschrijving van het pedagogisch belang in de strafrechtelijke reactie (zie het begin van deze paragraaf) wordt aangepast, kom ik tot de volgende definitie:

> Het pedagogisch belang van het kind in de strafrechtelijke reactie houdt in dat de minderjarige delinquent door middel van een directe en op zijn persoonlijkheid toegespitste strafrechtelijke reactie inzicht verkrijgt in de negatieve gevolgen van zijn handelen voor slachtoffers en voor zichzelf, en dat hij door dit inzicht het 'goede pad' opgaat.

2.5.4 Wie bepaalt welke strafrechtelijke reactie het meest pedagogisch is?

Nu uit de vorige paragraaf nogmaals duidelijk naar voren komt dat er *per geval* bekeken moet worden wat het pedagogisch belang voor strafrechtelijke reactie vereist, moet er tevens bekeken worden wie hier een doorslaggevende stem in moet hebben.[60] Met andere woorden: wie bepaalt welke strafrechtelijke reactie in concreto het meest pedagogisch is? Ook hierover zijn de meningen in de literatuur verdeeld. Personen en instanties die volgens sommige auteurs de beste inschatting kunnen maken van welke reactie in een concreet geval de meest pedagogische is, zijn onder meer: de hulpverlening,[61] de Raad voor de kinderbescherming, de ouders of verzorgers, de raadsman,[62] de kinderrechter en de jeugdige zelf.[63]

Wie er ook welk oordeel heeft en in het strafproces naar voren brengt over wat in een concreet geval de meest pedagogische strafrechtelijke reactie is, uiteindelijk zal de kinderrechter een beslissing moeten nemen die hij mede in het belang oordeelt van de ontwikkeling van de minderjarige delinquent. Volgens Doek wordt deze beslissing in veel meer gevallen dan men wellicht denkt, genomen op basis van vrij summiere – deels op de zitting verzamelde – informatie over de persoon van de minderjarige:

> [...] Uitzonderingen zijn 'slechts' die gevallen waarin een persoonlijkheidsonderzoek plaatsvond. Anders gezegd: de beslissing is in de meerderheid van de gevallen niet gebaseerd op een deskundige diagnose van de pedagogische behoeften van de minderjarige verdachten.[64]

Het gevolg van het gebrek aan een vaste persoon of instantie waar alle procesdeelnemers op af (kunnen) gaan bij het maken van de inschatting wat in een bepaald geval de meest pedagogische reactie is, is dat de meningen hierover nogal eens kun-

---

[59] Kamerstukken II 1991/92, 21 327, nr. 3, p. 33.

[60] Volgens Schalken gaf de commissie-Anneveldt dit belang ook al aan: Schalken 1983, p. 239-240.

[61] Schalken 1983, p. 234.

[62] Aldus Minister Cort van der Linden volgens Verpalen: Verpalen 1989, p. 221. Zie ook Van Verschuer 1912, p. 293-294.

[63] Schalken 1983, p. 234; Bartels, J.A.C. 1988, p. 236, maar zie ook Bartels, J.A.C. 1995, p. 5; in verband met civiel jeugdrecht zie Duijst 2002, p. 50-51.

[64] Doek 1986, p. 42.

nen en zullen verschillen. Dat houdt in dat de verschillende procesdeelnemers in het strafproces onder dezelfde noemer (het pedagogisch belang), een andere strafrechtelijke reactie kunnen bepleiten. Mijns inziens wordt het strafproces hierdoor niet gemakkelijker – laat staan begrijpelijker – voor alle betrokken personen en instanties en natuurlijk in de eerste plaats voor de minderjarige verdachte. En dat was nu juist één van de in 2.5.2 genoemde voorwaarden voor een pedagogisch verantwoord strafproces.

2.6 Samenspel tussen rechtsbescherming en pedagogisch belang

De rechtsbescherming van de minderjarige en zijn pedagogisch belang zijn twee elementen in het jeugdstrafrecht die volgens sommigen met elkaar in conflict zijn en volgens anderen elkaar aanvullen. Deze twee begrippen kunnen dus moeilijk aan elkaar gelijk worden gesteld en ook moeilijk geheel los van elkaar worden gezien. Het antwoord op de vraag hoe de rechtsbescherming en het pedagogisch belang zich tot elkaar verhouden op de verschillende niveaus van het jeugdstrafrecht – van de doelstelling, van het strafproces en van de strafrechtelijke reactie – is uiteraard grotendeels afhankelijk van wat er onder deze begrippen wordt verstaan. Mogelijk is een andere invulling van de begrippen één van de oorzaken waardoor de meningen verdeeld zijn. Een antwoord op de vraag in hoeverre er sprake is van een samenspel tussen deze begrippen, blijft dus grotendeels subjectief.

In de literatuur over het jeugdstrafrecht wordt het bepleiten van de rechtsbescherming nogal eens de juridiseringsgedachte of het juridiseringsmodel genoemd, tegenover het bepleiten van pedagogisch belang, dat de beschermingsgedachte/idee of welzijnsmodel wordt genoemd (zoals dit in in 2.1 naar voren kwam).[65] Zoals uit paragraaf 2.1 blijkt, heeft de commissie-Anneveldt voor *de doelstelling van het jeugdstrafrecht* geen duidelijke keuze gemaakt voor een van de twee modellen, maar beargumenteert zij dat rechtsbescherming in het belang van het kind is, waardoor er geen keuze nodig is. Het gaat volgens de commissie immers niet om twee werkelijk tegengestelde begrippen. Op deze argumentatie van de commissie heeft Van Sloun de nodige kritiek geuit. Hij verwijt de commissie dat zij geen duidelijke keuze durft te maken en daardoor een "interne inconsistentie" accepteert. Hij vindt het rapport van de commissie wegens deze tweesporigheid dan ook "een schoolvoorbeeld van de onmogelijkheid om het pedagogisch denken juridisch te incorporeren".[66] Op deze zienswijze van Van Sloun wordt kritiek uitgeoefend door Bartels. Bartels is van mening dat de werkelijkheid nu eenmaal niet zo eenduidig is dat er slechts voor de ene richting gekozen moet worden en afstand genomen van de andere.[67] Ook Scheij sluit zich aan bij de commissie-Anneveldt door te stellen dat versterking van de rechtspositie van de minderjarige verdachte niet uit hoeft te sluiten dat in het *jeugdstrafproces* aspecten van welzijn en hulpverlening aan de orde worden gesteld: "Dit dient dan echter wel te gebeuren in een juridisch gestructureerd kader, waarin de

---

[65] Zie ook Van Sloun 1987, p. 168 en Bartels, J.A.C. 1988, p. 226.

[66] Van Sloun 1987, p. 169 en 182.

[67] Bartels, J.A.C. 1995, p. 6.

rechtspositie van de jeugdige verdachte wordt versterkt tegenover het optreden van de overheid, ook al geschiedt dit laatste in het perspectief van zijn eigen welzijn."[68] Heiner & Bartels stellen dat als gevolg van de juridisering van het begrip 'het belang van het kind' - door dit grotendeels in de goede rechtspositie te zoeken - "het gewicht en de inhoud" van dit begrip lijken te verminderen. Dit aangezien het vaak een "teruggang" betekent van "de nadruk op bescherming, zorg en hulp".[69] Een andere reden waarom de rechtsbescherming niet in het pedagogisch belang van de minderjarige verdachte hoeft uit te pakken, kan zijn dat deze zijn rechten niet begrijpt. Zo stelt Mijnarends dat een toename van rechten geen toename van kennis over die rechten betekent:

> Ondanks mondigheid van de jeugdige en de juridische vertaling van dit concept in de erkenning van de jeugdige als subject van mensenrechten, lijkt dit (nog) geen rechtevenredige kennis van het recht en zijn gevolgen op te leveren.[70]

Op de argumentatie van de commissie-Anneveldt dat rechtsbescherming uiteindelijk in het pedagogisch belang van het kind is, bestaat in de praktijk vergelijkbare kritiek. Uit het onderzoek van het WODC naar de werking van het nieuwe jeugdstrafrecht in de praktijk, blijkt dat nogal wat respondenten kanttekeningen plaatsen bij het versterken van de rechtspositie van minderjarigen. Het ontbreekt minderjarigen namelijk vaak aan voldoende kennis over hun rechtspositie, waardoor het in de praktijk niet altijd te merken is dat zij formeel een gelijkwaardiger rechtspositie hebben. Verder betwijfelen verschillende geïnterviewden "of het gelijktrekken van beide rechtsposities [van volwassenen en minderjarigen] wel altijd in het belang van de jongere is en [zij] trekken daarmee indirect de doelstelling zelf in twijfel".[71]

Met betrekking tot de invloed van het pedagogisch belang op de *strafrechtelijke reactie* bestaat er in de praktijk eveneens kritiek. In een interview stelt Kuijper dat het kijken wat het beste is voor het kind en het plooien van de strafrechtelijke instrumenten in de richting van de beste oplossing, ten koste gaat van de rechtsbescherming.[72]

[68] Scheij 1989, p. 262.

[69] Heiner & Bartels 1989, p. 60.

[70] Mijnarends 1999, p. 253.

[71] Kruissink & Verwers 2001, p. 74-75.

[72] De Jonge & Witteveen 1997, p. 18.

3 De rol van de raadsman in het jeugdstrafrecht

3.1 De minderjarige versus de volwassen cliënt

Het mogelijke onderscheid tussen de verdediging van de minderjarige en de volwassen cliënt kan worden afgeleid uit het verschil tussen beide, zoals dat in 2.2 en 2.5 naar voren is gekomen. Zo zal een minderjarige over het algemeen meer uitleg nodig hebben dan de meeste volwassenen over het hoe en waarom van de loop van het strafproces om het enigszins te kunnen begrijpen. Daarom zal de raadsman zijn minderjarige cliënt - in sterkere mate dan een volwassen cliënt - veel uitleg, voorlichting en advies moeten geven over het strafproces.

De raadsman zal daarnaast ook goed moeten luisteren naar de zienswijze van zijn cliënt, zodat hij hem niet alleen kan verdedigen, maar ook kan vertegenwoordigen. Hij heeft hiermee een grotere verantwoordelijkheid omdat zijn cliënt in grotere mate van hem afhankelijk is. Minderjarigen hebben dan ook volgens Mijnarends "verplichte bijstand nodig om de status van rechtssubject te ondersteunen, terwijl de volwassene dat gezien zijn leeftijd minder nodig heeft."[73] Zij plaatst echter wel een kanttekening over de grenzen van verantwoordelijkheden van de raadsman: "De (veelal grotere) ontvankelijkheid van de jeugdige voor het afleggen van bekentenissen en onbegrip voor legalistische procedures zegt hoogstens iets over de invulling van de taak van de advocaat, maar is geen legitimatie voor het overnemen van bevoegdheden."[74] De rol van de raadsman ter zitting verschilt volgens Mijnarends dan ook niet veel met die van de volwassene. Wel heeft de raadsman volgens haar een aantal kindspecifieke taken:

> Hij zal er steeds voor moeten waken dat de doelstelling van de jeugdstrafrechtspleging (reïntegratie) prevaleert boven de due process-rechten en dat bij de uiteindelijke strafmaat de reïntegratie van de jeugdige niet in overweging wordt genomen.[75]

Volgens Peter Oskam (officier van justitie in Rotterdam in 1997) is de rol van de raadsman tijdens de zitting in de praktijk van het jeugdstrafrecht wel degelijk anders dan in het volwassenenstrafrecht. Zo stelt hij in een interview:

> In het volwassenenstrafrecht wordt –en nu chargeer ik een beetje – vaak het spel gespeeld tussen advocaten en de officieren over wel of niet bewezen verklaring, over vormfouten, over niet-ontvankelijkheid, dat soort zaken. Dat komt bij jeugdigen niet vaak voor. Jeugdigen bekennen ook veel eerder, dus daar valt dan weinig over te twisten. Vaak vinden de raadslieden het ook heel belangrijk dat die jongeren weer terug op de rails gezet worden. Er wordt minder aandacht gegeven aan de bewezen verklaring en meer aan de sociale omstandigheden.[76]

De rol van de raadsman in het jeugdstrafrecht is volgens Mijnarends een dubbele:

---

[73] Mijnarends 1999, p. 254.

[74] Mijnarends 1999, p. 234.

[75] Mijnarends 1999, p. 252-253.

[76] Drooglever Fortuyn 1997, p. 5.

Hij moet de jeugdige bijstaan, beschermen tegen het uiten van zijn mening en zijn kwetsbare positie in het algemeen, terwijl het uiten van de mening en het laten horen van zijn stem tegelijkertijd tevens op grond van art. 12 IVRK juist moet worden gestimuleerd.[77]

Ook in een ander opzicht is zijn rol dubbel: hij moet optreden als rechtsbeschermer en daarnaast mag hij het (pedagogisch) belang van zijn cliënt niet negeren. Bij een minderjarige is er immers, in tegenstelling tot de (meeste) volwassenen, nog een opvoedingsbelang waar rekening mee kan en moet worden gehouden.

3.2 Korte geschiedenis van de raadsman in jeugdstrafzaken

Met de invoering van de Kinderwetten van 1901 kreeg de advocaat meer rechten in de procedure, waardoor de rol van de raadsman werd uitgebreid en waardoor de vertrouwensrelatie tussen de raadsman en zijn cliënt een vruchtbare bodem kreeg. Deze verruimde rechten bestonden uit het recht om aanwezig te zijn bij het gerechtelijk vooronderzoek, een bezoekrecht bij de cliënt in verzekerde bewaring en het recht om de verdachte alleen te spreken.[78]

Aangezien het jeugdstrafrecht vanaf de invoering van de Kinderwetten van 1901 doortrokken was van het opvoedingsbelang en aangezien de rechtsbescherming op een laag pitje stond, ontstond de vraag wat hierin eigenlijk nog de rol was van de raadsman. Immers, wanneer hij opkwam voor de rechtsbescherming zou dat niet stroken met de maatschappelijke opvattingen, maar op het moment dat hij zich richt op het opvoedingsbelang, ontstaat de vraag of hij dan niet hetzelfde (en daardoor overbodig) werk doet als de kinderrechter. In 1912 beantwoorde Van Verschuer deze vraag als volgt:

> In zekere zin acht ook ik de bijstand van de jeugdige beklaagde door een verdediger onnodig [...] de kinderrechter [is] de beste verdediger [...] van de voor hem gebrachte kinderen. Aan de andere kant moet men niet vergeten dat de jeugdige beklaagde er belang bij heeft om [...] indien hij onschuldig is ook vrijgesproken te worden. [De raadsman is] iemand wiens uitsluitende taak het is de belangen van de delinquent te verdedigen [...] Mijns inziens is er dus naast de kinderrechter en naast de kinderambtenaar nog wel degelijk plaats ook voor de verdediger. Uitdrukkelijk moet het beginsel worden gehuldigd dat de verdediger zich niet op het enge partijstandpunt van de delinquent heeft te plaatsen, doch dat hem de bevoegdheid moet worden toegekend ook tegen de wil van het kind en diens ouders of voogd op het nemen van een bepaalde maatregel aan te dringen.[79]

Verbunt stelt in 1986 dat de juridische benadering in de laatste dertig jaar naar de achtergrond werd geschoven, waardoor de raadsman toch moest "toezien langs de zijlijn" omdat het niet opvoedkundig juist was om op procedureregels te letten en

---

[77] Mijnarends 1999, p. 232-233.

[78] Wever & Andriessen 1983, p. 53.

[79] Van Verschuer 1912, p. 293-294 (door auteur dezes is de spelling aangepast aan deze tijd).

om de officier en de kinderrechter – die het beste met de jeugdige voor hadden – nadrukkelijk tegen te spreken.[80]

Wanneer er wordt gekeken naar meer recente tijden, naar de commissie-Anneveldt en de memorie van antwoord van de wetsherziening in 1995, blijft de rol van de raadsman op sommige punten onduidelijk. Immers, wanneer acceptatie van een sanctie door de jeugdige ten goede komt aan de doelstellingen van het strafrecht en dus tevens aan het pedagogische belang van de jeugdige (zoals betoogd in de memorie van antwoord, zie ook 2.1), komen er ook in het herziene jeugdstrafrecht vragen met betrekking tot de rol van de raadsman naar boven. Zonder twijfel heeft de raadsman een onmisbare rol in de ondersteuning van zijn jeugdige cliënt in het strafproces. Tevens moet de raadsman optreden als adviseur en woordvoerder van de jeugdige. Maar heeft de raadsman los van zijn rechtsbeschermende taak ook een pedagogische taak? Kan of moet de raadsman meewerken aan de totstandkoming van genoemde 'acceptatie' van strafoplegging door zijn jeugdige cliënt of valt dit op geen enkele manier te rijmen met zijn juridische rol?

3.3 De wet over de raadsman in jeugdstrafzaken

3.3.1 Algemene wet- en regelgeving

In de huidige wet- en regelgeving valt de raadsman en zijn verdediging in het strafrecht terug te vinden in art. 6 lid 3 onder c EVRM, art. 14 lid 3 aanhef en onder b en d IVBPR, art. 18 lid 1 Grondwet, boek 1 titel 3 Sv, Advocatenwet en tuchtrechtspraak. De bijzondere regels voor de raadsman in jeugdstrafzaken zijn te vinden in boek 4 titel 2 Sv. De bijstand van een raadsman moet zijn gericht op de "voorbereiding en het voeren van zijn of haar verdediging". In het Internationaal Verdrag inzake burgerrechten en politieke rechten (BUPO-verdrag) en het EVRM staat dit uitgewerkt door het voorschrift dat er "adequate time and facilities" beschikbaar moeten zijn.[81]

3.3.2 Toevoeging

De Kinderwetten van 1901 zorgden ervoor dat toevoeging van een raadsman mogelijk werd in alle tegen jeugdigen aangespannen rechtbankzaken door te bepalen dat aan een jeugdige ambtshalve een advocaat kon worden toegevoegd wanneer hij en zijn ouders onvermogend waren.[82] In het Wetboek van Strafvordering van 1921 werd de toevoegingsregeling aanzienlijk verruimd door het invoeren van ambtshalve toevoeging ongeacht of verdachte zich in voorlopige hechtenis bevond en ongeacht de vraag of hij en zijn ouders al dan niet vermogend waren.[83]

Tegenwoordig is het zo dat de in verzekering gestelde minderjarige rechtshulp krijgt van een gratis piketadvocaat (art. 40 jo 489 lid 1sub c Sv). Deze toevoeging staat behalve in de wet ook opgenomen in artikelen van verschillende verdragen: art. 6 lid

---

[80] Verbunt 1986, p. 113.

[81] Aldus ook Mijnarends 1999, p. 231.

[82] Wever & Andriessen 1983, p. 52.

[83] Verpalen 1991, p. 47-48.

3 sub c EVRM, art. 14 lid 3 sub d BUPO-verdrag en art. 40 lid 2 sub b ii IVRK. De toevoeging vindt volgens art. 489 lid 1 onder c Sv plaats op het moment dat de vervolging is aangevangen, dus zodra er tot voorlopige hechtenis is besloten, na het uitgaan van de dagvaarding of na het vorderen van een gerechtelijk vooronderzoek (in tegenstelling tot de toevoeging bij volwassenen aan in verzekering gestelde verdachten, zie art. 40 lid 1 Sv).[84] Daarnaast zal een raadsman worden toegevoegd wanneer de officier van justitie de zaak wil afdoen door het opleggen van een leerproject of taakstraf van meer dan 20 uur (art. 489 lid 1sub a Sv).[85] Dit is ook het geval indien het transactieaanbod de jeugdige bindt aan een of meer van de in art. 74 lid 2 Sr genoemde voorwaarden en daarbij een bedrag van meer dan 250 gulden (113,45 euro) is gemoeid (art. 489 lid 1sub b Sv). Aan jeugdige verdachten die niet worden vervolgd maar wier zaken worden afgedaan door de politie in de vorm van een HALT-project (art. 77e Sr), wordt geen raadsman toegevoegd.[86]

De raadsman van de minderjarige verdachte heeft in het Nederlandse recht pas invloed na de inverzekeringstelling, wanneer het eerste verhoor meestal al heeft plaatsgevonden.[87] Dit moet volgens de internationale regelgeving worden veranderd. Mijnarends stelt dan ook dat er in de wet een aantal zaken over de rol van de raadsman in de voorfase van het jeugdstrafrecht, dient te worden opgenomen:

a)   Het moment dat de jeugdige voor verhoor wordt meegebracht naar het bureau moet, volgens art. 17 Havana Rules, als vrijheidsberoving worden bestempeld, als gevolg waarvan zo spoedig mogelijk een advocaat moet worden toegevoegd;

b)   de politie moet zo spoedig mogelijk, na binnenkomst voor verhoor de jeugdige wijzen op zijn recht op bijstand van een (eigen of pro-deo) advocaat (art. 10 Beijing Rules). Beschikt de jeugdige over een eigen advocaat dan zal deze voorrang moeten genieten;

c)   ook in geval de politie besluit de zaak buitengerechtelijk af te doen, moet de jeugdige een raadsman toegewezen krijgen (art. 11 b Havana Rules jo art. 7 en 11 Beijing Rules jo art. 57 Riyadh Guidelines);

d)   op straffe van onrechtmatig verkregen bewijsmateriaal mogen de verhoren geen aanvang nemen, dan nadat een advocaat is verschenen.[88]

De oude regel dat de kinderrechter de toevoeging verricht, is vervallen. In de praktijk komt het daar echter nog wel vaak op neer omdat de kinderrechter de toevoeging kan doen 'op last van' de voorzitter van de rechtbank (art. 489 lid 3 Sv staat dit toe). Dit betekent meestal dat de jeugdunit een lijst hanteert van advocaten die bereid zijn om als raadsman in jeugdstrafzaken op te treden.[89]

Wanneer de jeugdige voor een strafbaar feit waarvan de rechtbank in eerste aanleg kennis neemt, wordt vervolgd en hem op last van de voorzitter van de rechtbank een advocaat is toegevoegd, zal dat - als hij voor het feit eerst in verzekering was gesteld

---

[84] Bartels, J.A.C. 1995, p. 133.

[85] De Mare 1998, p. 57-58.

[86] Koens & De Jonge 1995, p.128 e.v.

[87] De Jonge & Witteveen 1997, p. 17.

[88] Mijnarends 1999, p. 229 e.v.

[89] Doek & Vlaardingerbroek 1998, p. 390.

- normaliter de piketadvocaat zijn die hem ook op het politiebureau bezocht heeft. De ouders of voogd kunnen in geval van problemen met deze toegevoegde advocaat via de strafgriffie de voorzitter van de rechtbank of van het gerechtshof in appèl verzoeken om toevoeging van een andere dan de piketadvocaat. Een recht op toevoeging van een andere raadsman bestaat echter niet. De ouders of voogd van de verdachte mogen volgens art 38 lid 2 Sv wel zelf een raadsman voor hun kind of pupil kiezen, maar moeten die dan ook zelf betalen.[90]

3.3.3 Processuele bevoegdheden
Bij cliënten tussen de 12 en 16 jaar komen alle processuele bevoegdheden die aan hen toekomen, ook aan hun raadsman toe. Zij zijn dus gelijkelijk bevoegd en zullen door middel van overleg tot het al dan niet uitvoeren van hun bevoegdheden moeten beslissen (art. 503 Sv). Is de cliënt 16 jaar of ouder, dan heeft deze het zelf voor het zeggen. In de praktijk zal de raadsman met zijn adviezen echter overwegend de doorslag blijven geven tot het nemen van de beslissingen.[91]

3.4 De literatuur over de raadsman in jeugdstrafzaken

De wettelijke omschrijvingen over de rol van de raadsman in het jeugdstrafprocesrecht geven een ruime mogelijkheid in interpretatie hoe de raadsman zijn rol in de praktijk moet opvatten. Hoe een advocaat zich opstelt en waardoor hij zich laat leiden in de verdediging van minderjarige verdachten is afhankelijk van zijn eigen interpretatie van zijn rol als raadsman in jeugdstrafzaken. Uit de literatuur komen verschillende opvattingen hierover naar voren. De raadsman heeft volgens de literatuur veel te doen en ook veel na te laten. Deze paragraaf concentreert zich met name op de rol van de raadsman in het kader van de probleemstelling. Om een indruk te geven van uitspraken die hierover worden gedaan, wordt een aantal opvattingen uit de literatuur naar voren gebracht. Het is niet goed mogelijk om uit de literatuur een duidelijk overzicht te krijgen van de rol van de raadsman. Daarvoor is te onduidelijk wat de verschillende auteurs precies verstaan onder de begrippen die ze hanteren.

Vanuit de literatuur over de strafrechtadvocatuur in het algemeen wordt de rol van de raadsman op veel verschillende manieren beschreven. Zo is Mout van mening dat de raadsman in zijn optreden naar buiten toe volstrekt solidair moet zijn met zijn cliënt en dat zijn eigen opvatting niet van belang is en verborgen dient te blijven onder zijn toga.[92] Volgens de Studiegroep Strafrechtspleging uit 1972 moet de raadsman zich in de situatie van zijn cliënt kunnen inleven en moet hij bereid zijn de aspecten van de zaak die voor de cliënt vanuit zijn wereld van belang zijn in het proces, op authentieke wijze aan de orde te stellen.[93] Sutorius stelt dat de cliënt van

---

[90] Koens & De Jonge 1995, p. 102 e.v.
[91] Koens & De Jonge 1995, p. 130.
[92] Mout 1987, p. 388.
[93] Studiegroep Strafrechtspleging 1972, p. 12.

zijn raadsman mag verwachten dat hij in ieder geval vertrouwensman (als enige in de gelegenheid om begrip te tonen), verdediger (tegen een inbreuk op de rechten van de cliënt en voor minimale strafoplegging) en tolk (vertaler van het strafproces) zal zijn.[94] Ook uit buitenlandse literatuur over de jeugdstrafadvocatuur komen taakomschrijvingen van de raadsman naar voren. Zo is de raadsman, volgens Ashford & Chard, in zijn rol verplicht om de strafprocessuele belangen van zijn cliënt te beschermen (legal interests), te handelen volgens de instructies van zijn cliënt en de vertrouwensrelatie met zijn cliënt te waarborgen.[95] De raadsman mag volgens hen nooit bij voorbaat aannemen dat zijn minderjarige cliënt begrijpt wat de rol van de raadsman is.

Uit de literatuur over de strafrechtadvocatuur in het algemeen blijkt dat niet alleen de rol van de raadsman in jeugdstrafzaken aan veel discussie onderhevig is, maar dat de rol van de raadsman in zijn algemeenheid de nodige vragen oplevert:

> Naast de overige aan de raadsman te stellen eisen met betrekking tot de begeleiding van zijn cliënt, de omgang met de overige deelnemers aan het strafproces, kennis van feiten, recht, beleid van openbaar ministerie en hulpwetenschappen van het strafrecht zijn het juist vaak kwesties van rolopvatting en vragen van beroepsethiek, die de moeilijkheidsgraad van het vak van strafadvocaat bepalen en de beeldvorming rondom diens rol beïnvloeden. Zowel rolopvatting als rolvervulling van de raadsman roepen dan ook van tijd tot tijd vragen op.[96]

Ook Mout brengt dit naar voren:

> Over de controlerende en 'helpende en troostende' taak van de raadsman is men het wel eens. Over wat nog wel verdediging is en wat de grenzen van de verdediging te buiten gaat en niet meer geoorloofd is, wordt heel verschillend geoordeeld. Het geschreven recht wijst ons hier niet de weg.[97]

Mout spreekt zelfs over een grote mate van wanbegrip, misverstanden en verdeeldheid over de taak en de positie van de advocaat, zowel bij het advocatenkantoor als bij het publiek, en soms ook bij de andere procesdeelnemers.[98]

3.4.1 De raadsman en rechtsbescherming
Rechtsbescherming van de minderjarige verdachte tijdens het proces wordt over het algemeen al snel gekoppeld aan het optreden van zijn raadsman. Wanneer het begrip rechtsbescherming wordt gezien in de context van de verdediging, kan het naast 'het bewaken van regels van behoorlijk procesrecht' nog een aantal andere betekenissen hebben. Waar de rechtsbescherming van de cliënt door zijn raadsman immers in de praktijk nogal eens op neer komt, is het pleiten voor geen of minimale strafoplegging. Tevens zou het verdedigen van het standpunt van de cliënt en het geven van

---

[94] Sutorius, p. [1.4]-1-4.
[95] Ashford & Chard 2000, p. 26, vrije vertaling.
[96] Sutorius, Handboek strafzaken 1, p. [1.6]-1 en [1.1]-1.
[97] Mout 1987, p. 388 en 391.
[98] Mout 1987, p. 384.

uitleg en begeleiding als (een onderdeel van) de rechtsbeschermende taak van de raadsman kunnen worden gezien.

Volgens Jacobs & Kaptein zijn advocaten degenen die de rechtspositie van hun cliënten *in het strafproces* zo goed mogelijk bepalen.[99]

Volgens Mijnarends moet het doel van de jeugdstrafrechtadvocaat gericht zijn op het 'recht doen' aan de jeugdige, waarbij de meest opvallende rechten die tijdens de voorfase moeten worden beschermd, zijn: de onschuldpresumptie en het recht 'geen gedwongen bekentenis af te leggen of schuld te bekennen' (art. 40 lid 2 b iv IVRK).[100]

Volgens Bac & Mijnarends leiden de prealabele vragen vroeger een slapend bestaan, maar sinds de balie (de advocatuur) artikel 6 EVRM 'ontdekt' heeft, wordt regelmatig – ook in eenvoudige zaken – in de vorm van een prealabele vraag een beroep gedaan op (met name) de niet ontvankelijkheid van de officier van justitie wegens schending van de normen van behoorlijk procesrecht.[101]

In het strafproces heeft de raadsman ook het een en ander aan communicatieve taken. Natuurlijk is het in eerste instantie van groot belang dat de raadsman voldoende contact heeft met zijn cliënt. De raadsman moet regelmatig iets van zich laten horen.[102] Maar ook communicatie met de overige procesdeelnemers en betrokkenen is een taak van de raadsman. Zo stelt De Mare dat in de fase van de vroeghulp een goed overleg tussen de piketadvocaat en de hulpverlening - Raad voor de kinderbescherming of reclassering – voor de verdachte van groot belang kan zijn.[103]

Volgens Verbunt is een doelmatig optreden van de raadsman in het pleidooi over de strafrechtelijke reactie slechts juridisch: "Elke reële mogelijkheid om te voorkomen dat een straf of maatregel zal worden opgelegd moet benut worden.".[104]

3.4.2   De raadsman en het (pedagogisch) belang van zijn cliënt

In de literatuur over de strafadvocatuur in het algemeen komt 'het belang van de cliënt' nogal eens naar voren. Zo is het volgens Jacobs & Kaptein in beginsel niet de taak van advocaten om alle belangen van hun cliënten met alle middelen te behartigen, maar gerechtvaardigde belangen met aanvaardbare middelen.[105] Huydecoper bekijkt het minder ingewikkeld: "Het uitgangspunt is simpel: een advocaat komt, als partijdige belangenbehartiger, op voor de belangen van zijn cliënt. Een advocaat laat zich (binnen de grenzen van het geoorloofde, natuurlijk) alléén door die belangen leiden".[106] Hierbij resteert echter de vraag wat deze auteurs onder de belangen van de cliënt verstaan en wat die belangen concreet voor handelswijze van de raadsman vragen. Het zal hier echter waarschijnlijk niet gaan om pedagogische motieven.

---

[99] Jacobs & Kaptein 1998, p. 98.

[100] Mijnarends 1999, p. 232.

[101] Bac & Mijnarends 2000, p. 88.

[102] Aldus ook De Mare 1998, p. 61.

[103] De Mare 1998, p. 60.

[104] Verbunt 1986, p. 120. Zie ook Verpalen 1991, p. 56-57 en, voor een meer genuanceerde beschouwing Koens & De Jonge, Handboek strafzaken 2, p. [69.3]-1.

[105] Jacobs & Kaptein 1998, p. 98.

[106] Huydecoper 1998, p.1.

In de literatuur over de jeugdstrafadvocatuur komt 'het belang van de cliënt' ook nogal eens naar voren zonder dat hiermee een *pedagogisch* belang lijkt te worden bedoeld. Zo stelt Verpalen dat de raadsman juist het belang van zijn cliënt voorop moet stellen en even verderop stelt hij dat de raadsman zich moet richten op de wensen van zijn cliënt.[107] Dit suggereert echter dat het belang van de cliënt gelijk is aan de wensen van de cliënt. Wanneer hier een pedagogisch belang wordt bedoeld, is dat wel mogelijk, maar niet zeker. Immers, het kan zo zijn dat de cliënt geen straf wenst te krijgen, terwijl dat wel in zijn pedagogisch belang zou kunnen zijn. In dat geval kan dit dus een innerlijk tegenstrijdige opdracht zijn. Of dat het ook werkelijk is, of dat Verpalen iets anders onder het belang van het kind verstaat, is niet zeker. Hier komen we weer terug bij het definitieprobleem dat gedeeltelijk ten grondslag ligt aan onduidelijkheden en meningsverschillen over de rol van de raadsman in jeugdstrafzaken.

Door enkele auteurs is de pedagogische rol van de raadsman wel duidelijk behandeld. Zo mag de raadsman volgens Schalken (1983) niet slechts het "beschermend verlengstuk" van de kinderrechter zijn.[108] Ook Verbunt (1986) acht dit uit den boze en gaat zelfs een stap verder door te stellen dat de houding van een raadsman die een opvoedkundig standpunt inneemt "principieel fout" is:

> De advocaat dient te bedenken dat de minderjarige - daarin volstrekt te vergelijken met de strafrechtelijke meerderjarige - vóór alles 'uit de cel' en 'naar huis' wil, hoe goed men het ook met hem voor meent te hebben. De advocaat functioneert immers om het beste voor de minderjarige te bereiken, maar niet om [...] betuttelend bezig te zijn.[109]

Verbunt stelt tevens dat de raadsman de enige is die onvoorwaardelijk de zijde van de cliënt dient te kiezen. Als opvoeder is zijn functioneren "zinloos en dubbelop".

In een recent onderzoek naar de ervaringen met het nieuwe jeugdstrafrecht in de praktijk wordt echter door meerdere van de geïnterviewden naar voren gebracht dat advocaten wel degelijk pedagogisch inzicht dienen te hebben om een goede raadsman te kunnen zijn, en dat teveel nadruk op de procesgang pedagogisch gezien onjuist is:

> Er zijn goede en er zijn slechte [advocaten]. Een paar geïnterviewden menen dat de kwaliteit van 'jeugdadvocaten' goed is. Anderen hebben 'geen al te hoge pet op van de jeugdadvocaten', zoals een advocaat het uitdrukt. Het zou jeugdadvocaten ontbreken aan gevoel voor het pedagogisch oogmerk van het jeugdstrafrecht, 'ze zouden meer een jeugdattitude moeten hebben', en ze zouden de zaken te juridisch en te zakelijk benaderen. [...] Een van de respondenten wijst erop dat het hele straf(proces)recht en vooral de rol van de advocaat daarin, voor jongeren allemaal verwarrende – pedagogisch gezien onjuiste – boodschappen uitzendt. Door de nadruk van de advocaten op de procesgang zouden de jeugdige daders gemakkelijk het idee kunnen krijgen dat zij eigenlijk geen daders zijn maar dat zij toevallig de pineut zijn.[110]

---

[107] Verpalen 1991, p.56. Zie ook Verpalen 1989, p. 215 en 222.

[108] Schalken 1983, p. 248.

[109] Verbunt 1986, p. 115-116.

[110] Kruissink & Verwers 2001, p. 68-69.

3.4.3 De specialisatie 'jeugdstrafrechtadvocaat'

Aangezien (gebrek aan) de specialisatie 'jeugdadvocaat' in de literatuur veel naar voren komt, kan de kennelijke behoefte aan het bestaan van dit specialisme hier niet onbesproken blijven. Gezien de uiteenzetting van de rol van de raadsman in jeugdstrafzaken volgens de literatuur in de voorgaande hoofdstukken en de verschillen die er bestaan tussen jeugd- en volwassenenstrafrecht, is deze behoefte niet verrassend. Als er bij de verdediging van een minderjarige delinquent bijzondere regels van strafrecht en strafprocesrecht aan de orde komen en ook andere dilemma's en vaardigheden, zou het eigenlijk niet meer dan normaal zijn wanneer dit zou zijn voorbehouden aan specialisten op dit gebied.[111]

Zijn de advocaten die nu in jeugdstrafzaken optreden dan geen specialisten? Het grootste gedeelte is dat waarschijnlijk wel, zij zijn specialisten geworden door zich in het jeugdstrafrecht te verdiepen en door deze zaken te behandelen. Volgens Wever & Andriessen (1983) is de algemene indruk dat advocaten onvoldoende op de hoogte zijn van dit toch wel gecompliceerd deel straf(proces)recht.[112] Meer recent wordt er ook door De Mare gesteld dat jeugdstrafzaken nog altijd veelal worden behandeld door jongere en dus meestal onervaren advocaten, omdat de gemiddelde jeugdstrafzaak voor de meer ervaren advocaat financieel niet aantrekkelijk is.[113] Daartegenover zijn er ook minder negatief gestemde berichten: een groot deel van de geïnterviewden in een onderzoek van het WODC geeft aan dat de kwaliteit van de 'jeugdadvocaten' zeer wisselend is.[114]

Een advocaat die met weinig specialistische kennis zomaar een jeugdstrafzaak 'erbij doet', is volgens Koens & De Jonge niet alleen slecht bezig voor de jeugdige, maar ook voor zijn eigen reputatie wanneer hij ten overstaan van officier en rechter niet op de hoogte blijkt van de bijzondere regels voor jeugdigen.[115] Hij riskeert zelfs een klacht, tegen hem ingediend bij de Raad van Discipline – het tuchtrechtelijke college van de advocatuur, aldus De Mare:

> Van hem mag namelijk verwacht worden dat hij, mede door permanente scholing, te allen tijde in staat is op de juiste en deskundige wijze rechtsbijstand te verlenen.[116]

Zolang elke advocaat jeugdstrafzaken *mag* aannemen, zal het echter blijven voorkomen dat ook advocaten met te weinig specifieke kennis of ervaring op dit gebied, toch optreden als raadsman in jeugdstrafzaken.

Hoe moet dit probleem nu worden aangepakt? Duijst is van mening dat het Belgische initiatief tot het instellen van een jeugdadvocaat navolging verdient.[117] De Jonge is van mening dat de Nederlandse Orde van Advocaten nadere scholingseisen

---

[111] Zie ook De Mare 1998, p. 56-57 en Verbunt 1986, p.115.

[112] Wever & Andriessen 1983, p. 54. Zie ook Studiegroep Strafrechtspleging van de Nederlandse Orde van Advocaten 1972.

[113] De Mare 1998, p. 56.

[114] Kruissink & Verwers 2001, p. 68.

[115] Koens & De Jonge, Handboek strafzaken 2, p. [69.3]-1.

[116] De Mare 1998, p. 56-57.

[117] Duijst 2002, p. 50.

moet gaan stellen aan raadslieden die jeugdige verdachten willen bijstaan.[118] Ook Mijnarends is van mening dat staten moeten worden aangespoord om te voorzien in een speciale opleiding voor jeugdstrafrechtadvocaten.[119] Fokkens vindt het daarentegen een illusie om te verwachten dat er verandering zal komen in het feit dat het jeugdstrafrecht als specialisme niet geschikt is om in de advocatuur een bloeiend bedrijf op te bouwen. Hij ziet dus geen mogelijkheden voor de specialisatie 'jeugdadvocaat' en stelt daarmee dat het tegenwicht uit de balie structureel zwak zal blijven.[120] Ook enkele van de geïnterviewde advocaten in een onderzoek van het WODC geven de (on)mogelijkheid van specialisatie aan:

> Eén van de geïnterviewde advocaten stelt dat het eigenlijk onmogelijk is om in jeugd-zaken gespecialiseerd te zijn omdat de 'spoeling heel dun is': de jeugdzaken worden over heel veel advocaten verdeeld. [...] Eén advocaat geeft zelf aan dat het moeilijk is om kwaliteit te leveren omdat 'je wel specialistische kennis nodig hebt voor allerlei dingen [...] maar als je dat maar een of twee keer per jaar meemaakt, lukt dat niet. [...]'[121]

Het is logisch dat de 'dunne spoeling' het lastiger maakt om een specialist te worden. Van de andere kant bekeken is het echter logisch dat de spoeling dun is omdat er geen specialisatie bestaat. Wanneer er meer specialisten zouden zijn, zouden de zaken vermoedelijk ook over minder advocaten worden verdeeld, wat weer kan zorgen voor nog meer specialisten.

---

[118] De Jonge 2001, p. 329.
[119] Mijnarends 1999, p. 339.
[120] Fokkens 1998, p. 79.
[121] Kruissink & Verwers 2001, p. 68.

4 Conclusie literatuuronderzoek

4.1 De raadsman tussen rechtsbescherming en pedagogisch belang

Of de raadsman in zijn verdediging tegen dilemma's oploopt met betrekking tot het stellen van prioriteiten tussen de rechtsbescherming en het pedagogisch belang van zijn minderjarige cliënt, is geheel afhankelijk van hoe de raadsman dit zelf ervaart. Maar dat het samenspel tussen de rechtsbescherming en het pedagogisch aspect in bepaalde gevallen als een dilemma *kan* worden ervaren, staat vast. Nu is de vraag in hoeverre het literatuuronderzoek een oplossing van de hieronder herhaalde probleemstelling dichterbij heeft gebracht.

> *Welke rol speelt de raadsman in jeugdstrafzaken en hoe behoort hij in deze rol om te gaan met het mogelijke dilemma tussen rechtsbescherming en pedagogisch belang?*

Bij het zoeken naar een afbakening en mogelijke oplossing van dit dilemma in de literatuur, vormen allereerst de onduidelijkheden over de betekenis van de begrippen rechtsbescherming en pedagogisch belang een hindernis. Zo heeft het begrip 'belang van het kind' volgens veel auteurs een verschillende inhoud, terwijl over de invulling van het begrip 'rechtsbescherming' weinig wordt geschreven. Het is duidelijk geworden dat de begrippen rechtsbescherming en pedagogisch belang in verband met het jeugdstrafrecht op verschillende manieren kunnen worden benaderd: als onderdeel van de doelstelling van het jeugdstrafrecht (bijvoorbeeld de rechtsbescherming die ten grondslag ligt aan de wetsherziening van 1995) en als onderdeel van het strafproces (bijvoorbeeld het pedagogisch belang dat ten grondslag ligt aan het persoonlijkheidsonderzoek). Bovendien kunnen rechtsbescherming en pedagogisch belang invloed hebben op de strafrechtelijke reactie.

Een tweede hindernis is dat er prioriteiten worden gesteld tussen deze begrippen, zonder dat er echt duidelijk wordt of de keuze een constante is, of dat er onder bepaalde omstandigheden van kan worden afgeweken.

Een derde hindernis wordt gevormd door het gebrek aan literatuur over de rol van de raadsman in de context van het dilemma rechtsbescherming versus pedagogisch belang. Het literatuuronderzoek heeft uitgewezen dat er maar weinig auteurs en onderzoekers in Nederland zijn – zo niet géén – die dit onderwerp grondig hebben uitgediept.

Het is door bovengenoemde hindernissen erg lastig om uit verschillende uitspraken in de literatuur een overzicht te krijgen van de opvattingen die er bestaan en welke daarvan overheersen op het gebied van de rechtsbescherming en het pedagogisch belang in de verdediging.

Voor zover er uit de literatuur iets duidelijk wordt over hoe de raadsman moet omgaan met zijn mogelijke dilemma op dit gebied, blijkt dat de verschillen van mening groot kunnen zijn en dat het samengevat zowel voor de rechtsbescherming van de minderjarige verdachte als voor zijn pedagogisch belang van groot belang is dat de raadsman de nodige aandacht aan beide besteedt in zijn verdediging.

Wanneer de rechtsbescherming echter een bedreiging vormt voor het pedagogisch belang of andersom, is het mijns inziens voor het behoud van beide van belang dat er niet te strak wordt vastgeklampt aan principes wanneer deze niet tot de gewenste resultaten leiden. Het lijkt er namelijk op dat meerdere auteurs de rechtsbescherming als hoofdtaak van de raadsman zien, los van het mogelijk negatieve effect ervan op het pedagogisch belang van de minderjarige verdachte. Uiteraard is de rechtsbescherming heel belangrijk in de verdediging en er is uiteraard veel te zeggen voor een consequente rechtsgang, maar sluit dit alle deuren voor een pedagogisch bewustzijn van de raadsman? Het is te hopen van niet, omdat de minderjarige nu juist degene is om wie het proces draait en die met behulp van het strafrecht uiteindelijk een beter mens zou moeten worden. Is het laten prevaleren van het pedagogisch belang dan de oplossing? Ook in dat geval is er kritiek, want als het nastreven van het pedagogisch belang door de raadsman leidt tot meningsverschillen over wat dit pedagogisch belang in concreto inhoud, is er nog geen eenduidig strafproces. Een eenduidig strafproces wat voor de minderjarige te begrijpen is, was nu juist in 2.5 naar voren gekomen als een voorwaarde voor een pedagogisch proces.

4.2 Model

Vanuit de wetgeving en de literatuur is er geen eenduidige oplossing voor de probleemstelling te geven. De probleemstelling is in het literatuuronderzoek echter wel verder uitgediept. Er is uit het literatuuronderzoek naar voren gekomen welke vragen er onbeantwoord blijven en welke afwegingen er kunnen worden gemaakt. Op basis van het literatuuronderzoek is een schematisch overzicht gemaakt van deze uitdieping van de probleemstelling, met als doel het samenvatten van de factoren en relaties die bij het dilemma tussen rechtsbescherming en pedagogisch belang in de verdediging een rol kunnen spelen. Dit schematisch overzicht is weergegeven in model 4.1.

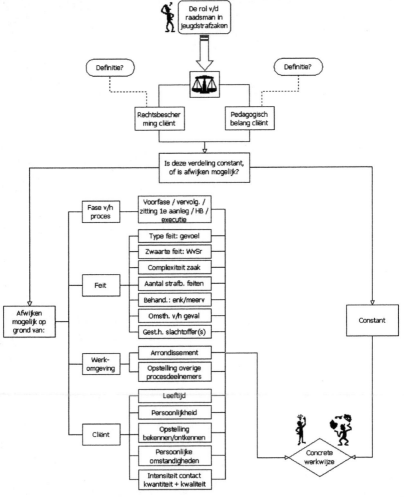

Model 4.1 Schematisch overzicht van de uitdieping van de probleemstelling aan de hand van het literatuuronderzoek naar de rol van de raadsman in jeugdstrafzaken

4.3 Vervolg van het onderzoek

Uit het literatuuronderzoek blijkt dat er in Nederland over de rol van de raadsman in jeugdstrafzaken geen grootschalig onderzoek of standaardwerk beschikbaar is en dat het literatuuronderzoek nog weinig concrete antwoorden kan opleveren op de verschillende vragen die uit de probleemstelling naar voren komen. Het literatuuronderzoek heeft het onderwerp wel verder afgebakend en heeft daarmee richting gegeven aan een praktijkgericht vervolg van het onderzoek. Het is daarmee tijd voor een exploratief expirimenteel onderzoek hetwelk de theorievorming over dit onderwerp kan stimuleren.

In het praktijkonderzoek zullen antwoorden worden gezocht op verschillende onderzoeksvragen die uit het literatuuronderzoek naar voren zijn gekomen. Met de gevonden antwoorden zal hopelijk een basis worden gelegd voor verdere theorievorming. Extra motivatie om via een praktijkonderzoek discussiemateriaal te leveren over de rol van de raadsman in jeugdstrafzaken geeft het volgende citaat van Sutorius.

> Naast de overige aan de raadsman te stellen eisen met betrekking tot de begeleiding van zijn cliënt, de omgang met de overige deelnemers aan het strafproces, kennis van feiten, recht, beleid van openbaar ministerie en hulpwetenschappen van het strafrecht zijn het juist vaak kwesties van rolopvatting en vragen van beroepsethiek, die de moeilijkheidsgraad van het vak van strafadvocaat bepalen en de beeldvorming rondom diens rol beïnvloeden. Het lijkt dan ook aanbeveling te verdienen deze onderwerpen, die mede het gezicht van de raadsman in strafzaken bepalen, meer dan tot nu toe gebruikelijk was ter discussie te stellen, niet alleen in eigen kring maar ook in het overleg met de andere deelnemers aan het strafproces. [...] Rolopvatting en beroepsethiek zijn dikwijls aanleiding tot misverstand en kritiek bij het publiek.[122] [Hoewel dit citaat in eerste instantie is gericht op de strafrechtadvocatuur in het algemeen, geeft het goed weer wat de waarde kan zijn van een nader onderzoek naar de jeugdstrafrechtadvocatuur]

In het vervolg van het onderzoek zullen aan de hand van model 4.1 onderzoeksvragen worden vastgesteld. De resultaten van het verdere onderzoek zullen worden gebruikt om het model te verrijken met de gegevens uit de praktijk.

---

[122] Sutorius, Handboek strafzaken 1, p. [1.6]-1.

De rol van de raadsman in het jeugd-strafrecht: de praktijk

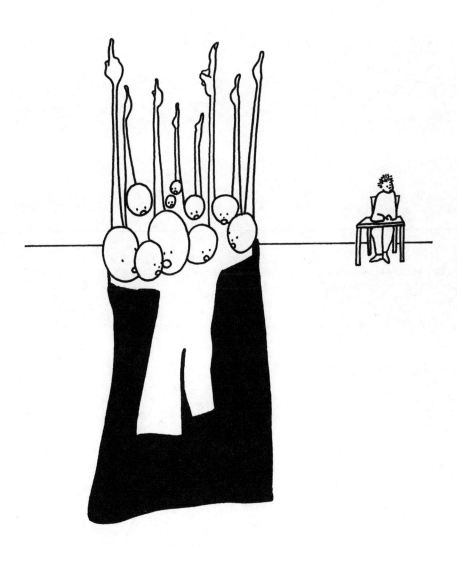

5 Inleiding en onderzoeksvragen

In de literatuur is het gebrek aan onderzoek naar de rol van de raadsman in jeugdstrafzaken opvallend. De auteurs die wel hun gedachten hierover – of meer algemeen over de rechtsbescherming en het pedagogisch belang in jeugdstrafzaken – laten gaan, leveren gezamenlijk geen eenduidig beeld over de inhoud van deze begrippen en over de vraag hoe zij zich tot elkaar verhouden in het strafrecht en in het optreden van de raadsman. Om te ontdekken hoe er in de praktijk wordt gedacht over de rol van de raadsman in jeugdstrafzaken en om te onderzoeken in hoeverre de verschillende meningen in de literatuur overeenkomen met die in de praktijk, is er door auteur dezes een praktijkonderzoek verricht. Om het onderwerp niet alleen vanuit de advocatuur te onderzoeken, is besloten een groep participanten samen te stellen uit de vaste - togadragende - procesdeelnemers (m.u.v. gerechtssecretarissen): 'jeugdstrafrechtadvocaten', kinderrechters en 'jeugdofficieren' van justitie.

De probleemstelling is voor het verrichten van het praktijkonderzoek hieronder nader uitgewerkt in een aantal onderzoeksvragen die voortvloeien uit de conclusie van het literatuuronderzoek. In de conclusie van het praktijkonderzoek (hoofdstuk 8) zullen de resultaten van het onderzoek worden gebruikt voor het beantwoorden van onderstaande onderzoeksvragen.

Welke rol speelt de raadsman in jeugdstrafzaken en hoe behoort hij in deze rol om te gaan met het mogelijke dilemma tussen rechtsbescherming en pedagogisch belang?

1. Wat houdt volgens raadslieden, kinderrechters en officieren van justitie een op rechtsbescherming gerichte verdediging in?

2. Wat is volgens raadslieden, kinderrechters en officieren van justitie de betekenis van 'het pedagogisch belang' in het jeugdstrafrecht?
    2.1   Is er een algemene omschrijving of definitie mogelijk van de betekenis van het 'pedagogisch belang' in het jeugdstrafrecht?
    2.2   Hoe belangrijk is het pedagogisch belang in de doelstelling van het jeugdstrafrecht?
    2.3   Wat is het pedagogisch effect van middelen van het jeugdstrafrecht?
    2.4   Wat is het pedagogisch effect van het optreden van de raadsman?
    2.5   Wie bepaalt of heeft invloed op de opvatting over wat het pedagogisch belang in concreto vereist?

3. Wat behoort volgens raadslieden, kinderrechters en officieren van justitie in de de verdediging de verhouding te zijn tussen de rechtsbescherming en het pedagogisch belang van de cliënt?

4. Is de onderscheidende factor 'beroepsgroep' van invloed op de onder onderzoeksvraag 3 geantwoorde verhouding tussen de rechtsbescherming en het pedagogisch belang in de verdediging?

5. Hoe constant behoort de raadsman volgens raadslieden, kinderrechters en officieren van justitie te zijn met het hanteren van de onder onderzoeksvraag 3 genoemde verhouding tussen de rechtsbescherming en het pedagogisch belang?

6. Welke (f)actoren kunnen volgens raadslieden, kinderrechters en officieren van justitie een afwijking van de genoemde verhouding tussen de rechtsbescherming en het pedagogisch belang in de verdediging veroorzaken en in welke mate?

6.1 Indien de cliënt deze afwijking kan veroorzaken, welke kenmerken veroorzaken dit dan en in welke mate?
Denk hierbij aan: zijn leeftijd, persoonlijkheid, opstelling, persoonlijke omstandigheden, verleden, contact met zijn raadsman.

6.2 Indien het feit deze afwijking kan veroorzaken, welke kenmerken veroorzaken dit dan en in welke mate?
Denk hierbij aan: het type feit, de zwaarte van het feit, de complexiteit van de zaak, het aantal strafbare feiten in de zaak, een enkelvoudige of meervoudige behandeling, de omstandigheden van het geval, de toestand van de slachtoffer(s), gedupeerden.

6.3 Indien *de fase* waarin het proces zich afspeelt deze afwijking kan veroorzaken, wat veroorzaakt dit dan?

6.4 Indien de *opstelling en rolopvatting van de andere procesdeelnemers en betrokkenen* deze afwijking kan veroorzaken, wie veroorzaken dit dan en in welke mate?
Denk aan: de rechter, de officier van justitie, de cliënt, de ouders, de Raad voor de kinderbescherming, de hulpverlening.

7. Welke rol speelt het standpunt van de cliënt volgens raadslieden, kinderrechters en officieren van justitie als element van de verdediging?

7.1 In hoeverre beïnvloedt het standpunt van de cliënt, zoals dat bij de eerste ontmoeting met zijn raadsman luidt, de strategie van de verdediging?

7.2 Door wie is het uiteindelijk in de verdediging ingenomen standpunt van de cliënt beïnvloed en in welke mate?

7.3 Hoe beïnvloedt de raadsman het standpunt van de cliënt, in welke gevallen en waarom?

8. Worden er door raadslieden, kinderrechters en officieren van justitie problemen gesignaleerd bij de verdediging in de praktijk van het jeugdstrafrecht?

8.1 Zijn er in de verdediging problemen met bepaalde formele regels?

8.2 Zijn er problemen in de samenwerking tussen de raadsman en de overige procesdeelnemers?

6 Methodebeschrijving praktijkonderzoek

6.1 Participanten

Voor het onderzoek zijn drie groepen procesdeelnemers benaderd die werkzaam zijn binnen het arrondissement Amsterdam: advocaten, kinderrechters en officieren van justitie. Deze groepen, die zijn benaderd met een vragenlijst, zijn als volgt samengesteld.

De groep kinderrechters is samengesteld uit alle kinderrechters die ten tijde van het begin van het onderzoek werkzaam waren als kinderrechter bij de Rechtbank Amsterdam. Deze groep van 11 kinderrechters bestaat uit zeven 'vaste' kinderrechters en vier kinderrechter-plaatsvervangers.

De groep officieren van justitie is samengesteld uit alle officieren die door het secretariaat van het Parket Amsterdam zijn genoemd als officieren zijn die jeugdstrafzaken behandelen. Deze groep bestaat uit 13 officieren van justitie.

De groep advocaten in jeugdstrafzaken is aanzienlijk groter. De strafgriffie is in het bezit van een lijst van advocaten die zich daar in de loop der jaren hebben aangemeld als advocaten die jeugdstrafzaken behandelen. Deze groep bestaat uit 96 advocaten.

De vragenlijst is daarmee binnen het arrondissement Amsterdam verstuurd naar totaal 120 personen. Het totaal aantal teruggestuurde en geanalyseerde vragenlijsten is 64. De respons komt daarmee uit op 53%. De respons per groep procesdeelnemers is weergegeven in tabel 6.1.

Tabel 6.1 Vragenlijstenrespons in het onderzoek naar de rol van de raadsman in jeugdstrafzaken.

Vragenlijstenrespons	Advocaten	Kinderrechters	Officieren van justitie	Totaal
Aantal opgestuurd	96	11	13	120
Aantal teruggestuurd	49	9	6	64
% teruggestuurd	51	82	46	53

Onder de participanten zijn 32 mannen en 30 vrouwen. Twee participanten hebben hun geslacht niet ingevuld.

6.2 Materiaal: de vragenlijst

6.2.1 Indeling

Voor het praktijkonderzoek is er een vragenlijst ontwikkeld. De vragen en resultaten zijn opgenomen in hoofdstuk 7. Bij het maken van de vragenlijst zijn de onderzoeksvragen uit hoofdstuk 5 gebruikt als leidraad. De vragenlijst bestaat uit 20 vragen en is als volgt ingedeeld:

- **Deel I** betreft de persoonlijke gegevens.
- **Deel II** (vraag 1-2) betreft de doelstellingen van het jeugdstrafrecht en het volwassenenstrafrecht.

- **Deel III** (vraag 3-5) bevat vragen over het pedagogisch belang van het kind in het jeugdstrafrecht.
- **Deel IV** (vraag 6) bevat een vraag over de rechtsbescherming van het kind in het jeugdstrafrecht.
- **Deel V** (vraag 7-15) bevat specifieke vragen over de rol van de raadsman in het jeugdstrafrecht en de verhouding rechtsbescherming – pedagogisch belang.
- **Deel VI** (vraag 16-18) bevat vragen over het standpunt van de minderjarige cliënt in de verdediging.
- **Deel VII** (vraag 19-20) bevat vragen over eventuele problemen van de raadsman met formele regels of met de andere procesdeelnemers bij de verdediging van zijn minderjarige cliënt.
- **Tot slot** is er nog een blad voor overige opmerkingen van de participanten.

6.2.2 Vraagtypen

Er zijn vijf typen vragen gebruikt in de vragenlijst, die ik aanduid als procentenvragen, halfopen vragen, categorieënvragen, schakelvragen en open vragen. In de verstuurde vragenlijst stond een toelichting over de gewenste wijze van beantwoording. Hieronder staat de wijze waarop de participant de verschillende typen vragen moest beantwoorden.

Procentenvraag (vraag 1, 2, 5, 8, 11, 12, 13, 15 en 17)
Bij de procentenvragen wordt de participant verzocht om de onderwerpen die volgens hem deel uit dienen te maken van de beantwoording een percentage toe te kennen. Indien het antwoord slechts uit één onderwerp bestaat, zal dit dus voor 100% antwoord geven op de vraag. Indien het antwoord uit meerdere punten bestaat, zal de 100% over deze punten moeten worden verdeeld. Het onderwerp met de hoogste prioriteit zal dus het hoogste percentage moeten krijgen. Wanneer de participant 100% moet verdelen over een aantal onderwerpen geeft dit meteen weer hoe de participant de prioriteiten stelt.

Halfopen vraag (vraag 3 en 6)
Bij de twee vragen die van de participant verlangen dat hij een definitie of omschrijving geeft van een bepaald begrip, is er gekozen voor de halfopen vraag. Dat wil zeggen dat er een aantal mogelijke antwoorden wordt gegeven met daarna de optie 'anders, namelijk......'. Deze laatste optie is dus eigenlijk het open gedeelte van de vraag, waar de participanten de mogelijkheid krijgen om het antwoord in eigen woorden te omschrijven.

Categorieënvraag (vraag 4 en 7)
Bij deze vragen is een aantal elementen uit het jeugdstrafrecht opgesomd. Van elk element moet worden gezegd welk effect ze hebben op het pedagogisch belang van het kind. Per element kan er uit 5 categorieën worden gekozen: zeer negatief, negatief, geen invloed, positief en zeer positief. Dit is een zogenoemde ordinale meetschaal.

Schakelvragen (vraag 9, 10, 11, 17 en 20a)
De schakelvragen zijn vragen die voor een of meer volgende vragen bepalen welke moet(en) worden ingevuld. Er is meestal in de vraag zelf een verwijzing opgenomen in de vorm van 'ga door naar vraag...' en/of er is voorafgaand aan de vervolgvragen de aantekening 'deze vraag hoeft u alleen in te vullen indien...' opgenomen.

Open vraag (vraag 10, 14, 16, 18, 19 en 20b)
Dit zijn vragen naar het 'waarom' of vragen naar persoonlijke werkwijze of zienswijze. Deze vragen zijn veel gebruikt vanwege het exploratieve karakter van het onderzoek.

6.3 Procedure

Er zijn 120 vragenlijsten verstuurd. Bij de vragenlijst zijn een handleiding en een brief gevoegd waarin de participant werd verzocht om de vragenlijst binnen 3 weken terug te sturen. Na twee weken waren er 25 vragenlijsten teruggestuurd. Na het eenmalig versturen van een herinnering zijn er nog 39 ingevulde vragenlijsten binnengekomen. Alle – in totaal 64 – teruggestuurde vragenlijsten zijn gebruikt in het onderzoek.

6.4 Statistische onderzoeksopzet

In dit onderzoek zal er voornamelijk descriptieve statistiek worden toegepast. Er zal vooral naar de beantwoording worden gekeken van de groep participanten in haar geheel (zonder onderscheid tussen de procesdeelnemers).
Bij een aantal vragen is toetsende statistiek toegepast (vraag 4, 7 en 8). Bij de variantieanalyse (vraag 8 en het persoonlijk gegeven 'aantal jaren werkzaam in de huidige functie') is als afhankelijke variabele de score op de vragenlijst gebruikt, als onafhankelijke variabele is de functie van de participant gebruikt (advocaat, kinderrechter of officier van justitie).

6.5 Scoring van de antwoorden

Er is een antwoordmodel gemaakt waarmee alle antwoorden van de **gesloten vragen** (dit zijn de procentenvragen, de categorieënvragen en de meeste schakelvragen) gecodeerd kunnen worden. Dat wil zeggen dat alle mogelijke antwoorden nummers krijgen voor zover het antwoord niet al uit een cijfer bestaat (zoals de procenten en de categorieën).
De antwoorden op de **open vragen en halfopen vragen** zijn ingedeeld in verschillende categorieën. Vervolgens is per categorie geturfd hoe vaak of door hoeveel participanten deze genoemd is. Bij de resultaten wordt per vraag aangegeven in welke categorieën de antwoorden zijn ingedeeld en hoe ze zijn gescoord.
De **toelichtingen** die men bij verschillende vragen gaf, zijn gebruikt als voorbeelden en ter illustratie. Hiervan is dus geen statistische analyse gemaakt.

In de ingevulde vragenlijsten zijn meerdere vragen die niet helemaal juist of volledig zijn beantwoord. Hierbij moet voornamelijk worden gedacht aan rekenfouten bij de procentenvragen, het maken van vragen die eigenlijk moesten worden overgeslagen aan de hand van de schakelvragen en het omcirkelen van meer dan één categorie bij een categorieënvraag. Al dergelijke antwoorden zijn buiten de analyse gelaten.

De antwoorden op drie vragen zijn door veel participanten niet geheel volgens de instructies ingevuld, maar zijn wel bruikbaar voor het onderzoek. Het gaat hierbij om de antwoorden op de vragen 3, 5 en 6. Vragen 3 en 6 (halfopen vragen) zijn in die zin onjuist beantwoord, dat veel participanten meer dan één mogelijke definitie of omschrijving van de gegeven opties hebben aangekruist. Dit levert echter geen problemen op voor de verwerking, omdat de verschillende opties elkaar niet per definitie uitsluiten. Bij de bespreking van de resultaten zal de wijze van verwerking van deze antwoorden verder worden toegelicht (7.3 en 7.6). Vraag 5 is door een groot deel van de participanten niet volledig ingevuld, waardoor veel antwoorden buiten de analyse zijn gelaten (zie verder onder 7.5).

6.6 Statistische verwerking en de betekenis van p, n, m en SD

Voor het statistisch verwerken van de antwoordgegevens is gebruikgemaakt van het programma *STATISTICA* als analysegereedschap.[123] Er is voornamelijk gebruikgemaakt van descriptieve statistiek gezien het exploratieve karakter van het onderzoek. Bij de toepassing van toetsende statistiek, is er gebruikgemaakt van variantieanalyse (ANOVA) en de rangtekentoets van Wilcoxon voor gepaarde waarnemingen. Bij elke toets wordt vermeld wat er wordt getoetst en welke analysemethode is gebruikt. Bij de toetsende statistiek is een significantieniveau van 95% gehanteerd, waarmee $p < 0,05$. De letter p staat voor 'onzekerheid': hoe kleiner de p-waarde, hoe zekerder de uitkomst.

Het aantal participanten dat de vraag geldig heeft beantwoord, zal per resultaat worden aangegeven met de letter n. Indien er bij een vraag sprake is van gemiddelde waarden, zal dit meestal worden weergegeven met de letter m. Bij deze gemiddelde waarden zal tevens een spreidingsmaat worden weergegeven met de letters SD (standaarddeviatie): hoe hoger de SD, hoe groter de verschillen in scores van de participanten.

---

[123] Statsoft 2001.

7 Resultaten praktijkonderzoek

7.1 Werkgegevens van de participanten

De groep van 64 participanten bestaat uit 49 advocaten, 9 kinderrechters en 6 officieren van justitie. Het gemiddelde aantal jaren dat de participanten werkzaam zijn in de huidige functie, is 11 jaar (SD=6,90 met n=64). De groep kinderrechters is wegens de roulatie op de rechtbank gemiddeld het minst lang werkzaam in de huidige functie (m=4,2 jaar; SD=3,51met n=9).

Van de participanten werken er 40 voltijds en 23 in deeltijd (één participant heeft dit niet ingevuld), waarvan de deeltijdwerkers gemiddeld 29 uur per week werken (SD=7,29 met n=21).

Gemiddeld 23% van de werktijd wordt besteed aan jeugdstrafzaken (SD=18,56 met n=57). De participanten behandelen gemiddeld 75 jeugdstrafzaken per jaar (SD=139,71 met n=52). Het aantal uren dat in een zaak wordt gestoken, is gemiddeld 6 (SD=2,88 met n=48). Uit de variantie analyse (ANOVA) blijkt dat het aantal uren dat er aan een zaak wordt besteed, afhankelijk is van de functie van de participant (F(2;45)=22,191; p<0,001): het gemiddelde aantal uren van de advocaten is 7 (SD=2,19 met n=42), het gemiddelde van de officieren is 1,5 uur (n=1) en het gemiddelde van de kinderrechters is 1 uur per zaak (SD=0,25 met n=5).

De vraag naar werkervaring is door zo weinig participanten beantwoord, dat de resultaten ervan hier buiten de analyse worden gelaten.

7.2 Vraag 1 & 2 – Doelstellingen van jeugd- en volwassenenstrafrecht

Vraag 1. Welke zijn volgens u de aspecten van de doelstelling van het jeugdstrafrecht en in welke mate?
Deze vraag is door 59 participanten beantwoord. De opgegeven percentageverdelingen zijn gemiddeld en naar prioriteit opgenomen in tabel 7.1.

Tabel 7.1 Resultaten vraag 1: gemiddelde percentages en de standaarddeviatie van de aspecten, in volgorde van percentagegrootte (n=59).

Prioriteit	Aspecten van de doelstelling van het jeugdstrafrecht	m	SD
1	speciale preventie (voorkomen recidive)	29,3%	14,35
2	ondersteuning van het (pedagogisch) belang van verdachte	25,9%	17,26
3	generale preventie (afschrikking)	13,4%	10,53
4	wetshandhaving / normbevestiging	13,1%	11,67
5	beveiliging van de samenleving	9,4%	9,48
6	vergelding	8,6%	9,71
7	anders, namelijk…	0,3%	1,83

Vraag 2. Welke zijn volgens u de aspecten van de doelstelling van het volwassenen-strafrecht en in welke mate?
Deze vraag is door 61 participanten beantwoord. De opgegeven percentageverdelingen zijn gemiddeld en naar prioriteit opgenomen in tabel 7.2.

Tabel 7.2 Resultaten vraag 2: gemiddelde percentages en de standaarddeviatie van de aspecten, in volgorde van percentagegrootte (n=61).

Prioriteit	Aspecten van de doelstelling van het volwasse-nenstrafrecht	m	SD
1	speciale preventie (voorkomen recidive)	20,8%	12,13
2	generale preventie (afschrikking)	20,4%	10,25
3	wetshandhaving / normbevestiging	19,5%	13,15
4	beveiliging van de samenleving	16,9%	8,88
5	vergelding	16,7%	12,46
6	ondersteuning van het (pedagogisch) belang van verdachte	5,6%	7,98
7	anders, namelijk...	0,1%	0,64

7.3 Vraag 3 – De definitie of omschrijving van het pedagogisch belang

Vraag 3. Kunt u een algemene definitie of omschrijving geven van wat het pedagogisch belang van het kind in het jeugdstrafrecht volgens u inhoudt?
Deze halfopen vraag is door alle 64 participanten beantwoord. Een deel van de participanten heeft echter meerdere antwoorden aangekruist, terwijl er volgens de algemene instructie één antwoord moest worden aangekruist. Dit leverde geen problemen op bij de verwerking van de gegevens, maar heeft wel het antwoordmodel veranderd.

De eerste antwoordmogelijkheid was: *nee, per kind is er een andere definitie, het antwoord is geheel afhankelijk van de omstandigheden van het geval.* Dit antwoord is door 30 participanten aangekruist (47%). Van de overige 34 participanten (53%), die wel een algemene definitie of omschrijving konden geven, heeft een groot deel zowel de optie '*het pedagogisch belang is speciale preventie (niet recidiveren)*' aangekruist als de optie '*anders, namelijk...*'. Aangezien de antwoorden onder de laatstgenoemde optie veel dezelfde of soortgelijke omschrijvingen bevatten, zijn de meest voorkomende omschrijvingen op een rijtje gezet en is geturft hoe vaak ze zijn genoemd. Deze telling staat in tabel 7.3.

Tabel 7.3 Resultaten vraag 3: aantal keren dat deze begrippen zijn genoemd bij het geven van een omschrijving van het pedagogisch belang van het kind in het jeugdstrafrecht (door de 34 participanten die aangaven een definitie te kunnen geven).

Begrippen waarmee het pedagogisch belang is omschreven	Aantal keren genoemd
Speciale preventie	21
Bijbrengen en bewustmaken van en inzicht geven in normen en waarden (wetshandhaving/normbevestiging)	8
Het bieden van grenzen / correctie	5
Anders	9

7.4 Vraag 4 – Pedagogisch effect van aspecten van jeugdstrafrecht

Vraag 4. Welke aspecten van het jeugdstrafrecht hebben volgens u welk effect op het (pedagogisch) belang van het kind?
Deze vraag bestaat uit een opsomming van een reeks (mogelijke) aspecten van het jeugdstrafrecht (a t/m q), waarbij de participant diende aan te geven welk effect deze volgens hem hebben op het pedagogisch belang van het kind. Het gaat bij deze vraag om de algemene indruk die de participanten hebben van de uitwerking van de aspecten op het pedagogisch belang van minderjarige verdachten. In tabel 7.4 staan de aantallen participanten die de desbetreffende antwoorden hebben aangekruist.

Tabel 7.4 Resultaten vraag 4: het aantal participanten dat per aspect van het jeugdstrafrecht de verschillende categorieën heeft omcirkeld.

Effect op het pedagogisch belang van het kind ⇒ *Aspecten van het jeugdstrafrecht* ⇓	Zeer Negatief	Nega-tief	Geen in-vloed	Posi-tief	Zeer posi-tief	*n*
a) Inmenging in de opvoeding door de overheid d.m.v. straffen	0	7	9	44	1	*61*
b) Niet gestraft worden door de overheid, maar door de ouders/verzorgers wanneer de wet overtreden is	3	12	5	35	6	*61*
c) Op formele gronden niet gestraft worden wanneer de wet wel overtreden is	10	35	9	8	0	*62*
d) Hamertjesmodel	0	5	14	29	4	*52*
e) HALT (officiersmodel)	0	1	8	44	10	*63*
f) Verplichte begeleiding als bijzondere voorwaarde bij schorsing (maatregel Hulp en Steun)	0	0	10	44	8	*62*
g) Zo snel mogelijk berecht worden	0	0	0	25	38	*63*

Effect op het pedagogisch belang van het kind ⇒ Aspecten van het jeugdstrafrecht ⇓	Zeer Nega- tief	Nega- tief	Geen in- vloed	Posi- tief	Zeer posi- tief	n
h) Zo snel mogelijk hulpverlening bij verdachte	0	0	2	33	26	61
i) Minder straf krijgen naarmate er meer tijd zit tussen daad en straf- oplegging	0	13	23	23	4	63
j) Straf in verhouding met gepleegde feit en omstandigheden	0	1	3	39	19	62
k) Straf in verhouding met persoonlij- ke omstandigheden	1	1	5	39	14	60
l) Als volwassene worden behandeld (met volledige verantwoordelijk- heid voor eigen daden)	8	21	12	15	3	59
m) Evenveel rechtsbescherming ge- nieten als volwassenen	3	4	16	30	8	61
n) Minder rechtsbescherming genieten dan volwassenen	16	28	15	2	0	61
o) Worden gehoord	0	0	1	34	27	62
p) Verschijningsplicht	0	1	2	30	30	63
q) Geslotenheid van de zitting	0	1	17	26	17	61

Toets
Om bij het verwerken van de antwoorden statistisch te toetsen of er kan worden gesproken van een positief of negatief effect van de aspecten op het pedagogisch belang van het kind *volgens de gehele groep participanten*, is de rangtekentoets van Wilcoxon voor gepaarde waarnemingen uitgevoerd. Er is voor deze toets gekozen aangezien het hier een ordinale meetschaal betreft. De toets (aangegeven door de toetsingswaarde Z) bepaalt of de uitkomsten voldoen aan het significantieniveau van 95% en daarmee of hier statistisch significante conclusies over de invloed van de aspecten op het pedagogisch belang (negatief of positief) uit kunnen worden getrokken. Bij een Z-waarde van 0 is er geen verschil gevonden tussen de waarde 3 (geen invloed) en de waarde zoals ingevuld door de participant. Hoe hoger de Z-waarde, hoe zekerder dat er een verschil is tussen 'geen invloed' en de score door de partici- pant en dus hoe kleiner de onzekerheidswaarde p. De uitkomsten van de toets staan in tabel 7.5 achter de aspecten. De aspecten zijn in deze tabel geordend in de groe- pen *negatief tot zeer negatief, positief tot zeer positief* en *niet significant afwijkend van 'geen invloed' volgens de rangtekentoets van Wilcoxon.*

Tabel 7.5 Resultaten vraag 4: de aspecten ingedeeld naar het overwegende oordeel van de participanten over het effect van het aspect op het pedagogisch belang van het kind, overeenkomstig de uitkomsten van de rangtekentoets van Wilcoxon voor gepaarde waarnemingen.

	Mogelijke aspecten van het jeugdstrafrecht	n	Toetsingswaarde en significantie rangtekentoets
Aspecten met een negatieve tot zeer negatieve invloed op het pedagogisch belang van het kind	c) Op formele gronden niet gestraft worden wanneer de wet wel overtreden is	62	Z=4,776; p<0,001
	n) Minder rechtsbescherming genieten dan volwassenen	61	Z=5,566; p<0,001
Aspecten met een positieve tot zeer positieve invloed op het pedagogisch belang van het kind	a) Inmenging in de opvoeding door de overheid d.m.v. straffen	61	Z=4,617; p<0,001
	b) Niet gestraft worden door de overheid, maar door de ouders/verzorgers wanneer de wet overtreden is	61	Z=2,888; p<0,01
	d) Hamertjesmodel	52	Z=4,104; p<0,001
	e) HALT (officiersmodel)	63	Z=6,259; p<0,001
	f) Verplichte begeleiding als bijzondere voorwaarde bij schorsing (maatregel Hulp en Steun)	62	Z=6,275; p<0,001
	g) Zo snel mogelijk berecht worden	63	Z=6,901; p<0,001
	h) Zo snel mogelijk hulpverlening bij verdachte	61	Z=6,680; p<0,001
	i) Minder straf krijgen naarmate er meer tijd zit tussen daad en strafoplegging	63	Z=2,278; p<0,05
	j) Straf in verhouding met gepleegde feit en omstandigheden	62	Z=6,525; p<0,001
	k) Straf in verhouding met persoonlijke omstandigheden	60	Z=5,878; p<0,001
	m) Evenveel rechtsbescherming genieten als volwassenen	61	Z=3,697; p<0,001
	o) Worden gehoord	62	Z=6,791; p<0,001
	p) Verschijningsplicht	63	Z=6,676; p<0,001
	q) Geslotenheid van de zitting	61	Z=5,613; p<0,001

(vervolg tabel 7.5)

	Mogelijke aspecten van het jeugdstrafrecht	n	Toetsingswaarde en significantie rangtekentoets
Geen significante afwijking van 'geen invloed' volgens de rangtekentoets van Wilcoxon	l) Als volwassene worden behandeld (met volledige verantwoordelijkheid voor eigen daden)	59	Z=1,698; niet significant

7.5 Vraag 5 – Degene die bepaalt wat het pedagogisch belang vereist

Vraag 5. Op wiens oordeel gaat u af bij (wie is van invloed op) het vormen van uw mening over wat het pedagogisch belang in concrete gevallen vereist en in welke mate?

Bij de beantwoording van deze vraag was het de bedoeling dat ook de zwaarte van de mening van de participant *zelf* werd betrokken. Dit percentage moest worden ingevuld achter de eigen functie. Dat dit essentiële punt door meerdere participanten niet is meegenomen, bleek uit opmerkingen bij de eigen functie als 'niet van toepassing' of 'ben ik zelf'. De antwoorden van deze participanten zijn buiten de analyse gelaten. Verder werd door veel participanten simpelweg geen percentage toegekend aan de eigen functie. Aangezien het redelijk onwaarschijnlijk is dat *al* die participanten hun eigen ideeën totaal niet van invloed laten zijn op het vormen van hun mening en dus volledig op anderen afgaan, zijn ook de antwoorden van al deze participanten niet bij de verwerking betrokken. Alleen de overgebleven participanten uit de groep van advocaten die achter hun eigen functie een percentage hebben ingevuld, zijn in de verwerking van deze vraag betrokken (n=25). Resultaten van deze vergelijking zijn in rangorde weergegeven in tabel 7.6.

Tabel 7.6 Resultaten vraag 5: de gemiddelde percentages en de standaarddeviatie van de groep advocaten over de mate waarin er waarde wordt gehecht aan het oordeel van deze personen en instanties over wat het pedagogisch belang in concreto vereist (n=25).

Rangorde	Op wie de raadsman afgaat bij het vormen van zijn mening over wat het pedagogisch belang van zijn cliënt vereist	m	SD
1	Op eigen mening en inzicht (raadsman zelf)	28,6%	21,67
2	Hulpverlening	20,2%	12,80
3	Cliënt	17,5%	12,95
4	Ouders	14,3%	8,98
5	Raad voor de kinderbescherming	8,9%	8,23
6	Kinderrechter	6,7%	8,74
7	Officier van justitie	2,3%	3,61
8	Anders	1,6%	5,37

7.6 Vraag 6 – De definitie of omschrijving van een op rechtsbescherming gerichte verdediging

Vraag 6. *Wat houdt volgens u een op de rechtsbescherming van de cliënt gerichte verdediging van de raadsman in het jeugdstrafrecht in?*
Deze vraag is door alle 64 participanten beantwoord. Een deel van hen heeft echter meerdere antwoorden aangekruist, terwijl er in principe maar één antwoord moest worden aangekruist. Dit levert geen problemen op bij de verwerking van de gegevens, maar heeft wel het antwoordmodel veranderd.
De eerste antwoordmogelijkheid was: *nee, hier kan ik geen omschrijving van geven, omdat....* Dit antwoord is door 4 participanten aangekruist (6%). Van de overige 60 participanten die hier wel een omschrijving van konden geven (94%), heeft een groot deel meerdere opties aangekruist. De overige antwoordmogelijkheden die waren gegeven zijn: *'bewaken van regels van behoorlijk procesrecht'*, *'streven naar minimale strafoplegging'*, *'het standpunt van de cliënt verdedigen'* en *'anders, namelijk...'* Aangezien de antwoorden onder de laatstgenoemde optie veel dezelfde of soortgelijke omschrijvingen bevatten, zijn de meest voorkomende omschrijvingen op een rijtje gezet om vervolgens te turven hoe vaak ze zijn genoemd. Deze telling staat in tabel 7.7.

95

Tabel 7.7 Resultaten vraag 6: aantal keren dat deze begrippen zijn genoemd bij het geven van een omschrijving van de inhoud van een op de rechtsbescherming van de cliënt gerichte verdediging door de raadsman in het jeugdstrafrecht (door de 60 participanten die aangaven een omschrijving te kunnen geven).

Begrippen waarmee een op de rechtsbescherming gerichte verdediging is omschreven	Aantal keren genoemd
Het bewaken van regels van behoorlijk procesrecht	55
Het standpunt van de cliënt verdedigen	36
Streven naar een minimale strafoplegging / alle mogelijke verweren voeren	27
Streven naar een passende/adequate/pedagogische strafoplegging (het belang van het kind)	18
Uitleg geven / begrip kweken / contact met instanties en betrokkenen	8

7.7 Vraag 7 – Pedagogisch effect van handelingen van de raadsman

Vraag 7. W*at is volgens u het (pedagogisch) effect van het handelen van de raadsman op zijn cliënt?*

Deze vraag heeft dezelfde opzet als vraag 4, met het verschil dat het nu specifiek gaat om het effect van *elementen van de verdediging* op het pedagogisch belang van het kind. Om een overzicht te geven van hoeveel participanten welk antwoord gegeven hebben, is het aantal participanten die desbetreffend antwoord heeft gegeven achter het aspect vermeld in tabel 7.8.

Tabel 7.8 Resultaten vraag 7: het aantal participanten dat per mogelijke handeling van de raadsman de verschillende categorieën heeft omcirkeld.

Effect op het pedagogisch belang van het kind ⇒ Aspecten van de verdediging ⇓	Zeer negatief	Negatief	Geen invloed	Positief	Zeer positief	n
a) Wanneer de raadsman het standpunt van de minderjarige verdedigt	0	5	12	36	6	59
b) Wanneer de raadsman opkomt voor het pedagogisch belang van de minderjarige	1	2	6	42	10	61
c) Wanneer de raadsman de minderjarige bestraffend toespreekt met betrekking tot het begane feit	8	15	4	27	1	55
d) Wanneer de raadsman onvoorwaardelijk aan de kant van de minderjarige staat tegenover de officier van justitie	2	13	9	29	6	59

96

Effect op het pedagogisch belang van het kind ⇒ Aspecten van de verdediging ⇓	Zeer nega- tief	Nega- tief	Geen in- vloed	Po si- tief	Zeer posi- tief	n
e) Wanneer de raadsman onvoorwaar- delijk aan de kant van de minderjari- ge staat tegenover de kinderrechter	2	20	8	26	3	59
f) Wanneer de raadsman onvoorwaar- delijk aan de kant van de minderjari- ge staat tegenover de hulpverlening	4	28	13	13	1	59
g) Wanneer de raadsman onvoorwaar- delijk aan de kant van de minderjari- ge staat tegenover de ouders	4	33	7	15	0	59
h) Wanneer de raadsman de minderjari- ge probeert vrij te pleiten (minimale strafoplegging) indien hij schuldig is	7	25	11	13	3	59
i) Wanneer de raadsman pleit voor adequate strafoplegging	0	2	5	45	7	59
j) Wanneer de raadsman de minderjari- ge betrekt bij de voorbereiding van de verdediging	0	1	2	35	23	61

Toets

Om bij het verwerken van de antwoorden statistisch te toetsen of er kan worden gesproken van een positief of negatief effect van de aspecten op het pedagogisch belang van het kind *volgens de gehele groep participanten*, is de rangtekentoets van Wilcoxon voor gepaarde waarnemingen uitgevoerd. Er is voor deze toets gekozen aangezien het hier een ordinale meetschaal betreft. De toets (aangegeven door de toetsingswaarde Z) bepaalt of de uitkomsten voldoen aan het significantieniveau van 95% en daarmee of hier statistisch significante conclusies over de invloed van de aspecten op het pedagogisch belang (negatief of positief) uit kunnen worden getrok- ken. Bij een Z-waarde van 0 is er geen verschil gevonden tussen de waarde 3 (geen invloed) en de waarde zoals ingevuld door de participant. Hoe hoger de Z-waarde, hoe zekerder dat er een verschil is tussen 'geen invloed' en de score door de partici- pant en dus hoe kleiner de onzekerheidswaarde p. De uitkomsten van de toets staan in tabel 7.9 achter de aspecten. De aspecten zijn in deze tabel geordend in de groe- pen *negatief tot zeer negatief, positief tot zeer positief* en *niet significant afwijkend van 'geen invloed' volgens de rangtekentoets van Wilcoxon.*

Tabel 7.9 Resultaten vraag 7: de mogelijke handelingen van de raadsman ingedeeld naar het overwegende oordeel van de participanten over het effect van dit handelen op het pedagogisch belang van het kind, overeenkomstig de uitkomsten van de rangtekentoets van Wilcoxon voor gepaarde waarnemingen.

	Mogelijke handelingen van de raadsman in jeugdstrafzaken ter verdediging van zijn cliënt	n	Toetsingswaarde en significantie rangtekentoets
Handelingen van de raads- man met een negatieve tot zeer negatieve invloed op het pedagogisch belang van het kind	f) Wanneer de raadsman onvoorwaar- delijk aan de kant van de minderjarige staat tegenover de hulpverlening	59	Z=2,442; p<0.05
	g) Wanneer de raadsman onvoorwaar- delijk aan de kant van de minderjarige staat tegenover de ouders	59	Z=2,928; p<0.01
	h) Wanneer de raadsman de minderja- rige probeert vrij te pleiten (minimale strafoplegging) indien hij schuldig is	59	Z=2,092; p<0.05
Handelingen van de raads- man met een positieve tot zeer positieve invloed op het pedagogisch belang van het kind	a) Wanneer de raadsman het standpunt van de minderjarige verdedigt	59	Z=4,857; p<0.001
	b) Wanneer de raadsman opkomt voor het pedagogisch belang van de min- derjarige	61	Z=5,656; p<0.001
	d) Wanneer de raadsman onvoorwaar- delijk aan de kant van de minderjarige staat tegenover de officier van justitie	59	Z=2,558; p<0.05
	i) Wanneer de raadsman pleit voor adequate strafoplegging	59	Z=5,980; p<0.001
	j) Wanneer de raadsman de minderja- rige betrekt bij de voorbereiding van de verdediging	61	Z=6,540; p<0.001
Geen signifi- cante afwij- king van 'geen invloed' vol- gens de rang- tekentoets van Wilcoxon	c) Wanneer de raadsman de minderja- rige bestraffend toespreekt met be- trekking tot het begane feit	55	Z=0,333; niet significant
	e) Wanneer de raadsman onvoorwaar- delijk aan de kant van de minderjarige staat tegenover de kinderrechter	59	Z=0,890; niet significant

7.8 Vraag 8 – De verhouding rechtsbescherming – pedagogisch belang in de verdediging

Vraag 8. Hoe behoort volgens u de verhouding tussen de rechtsbescherming en het pedagogisch belang van het kind te zijn in de grondslag van de verdediging?
Deze procentenvraag is de kern van de vragenlijst en is door 62 participanten beantwoord. De opgegeven percentageverdelingen zijn gemiddeld en naar prioriteit opgenomen in tabel 7.10.

Tabel 7.10 Resultaten vraag 8: gemiddelde percentages en de standaarddeviatie, in volgorde van percentagegrootte (n=62).

Prioriteit	De verhouding rechtsbescherming – pedagogisch belang die de raadsman behoort te hanteren	m	SD
1	Rechtsbescherming van de minderjarige cliënt	60%	20,26
2	Pedagogisch belang van de minderjarige cliënt	40%	20,26

Er is getoetst in hoeverre het antwoord op vraag 8 over de verhouding rechtsbescherming – pedagogisch belang in de verdediging afhankelijk is van welke procesdeelnemer de vraag beantwoord. Voor deze vergelijking tussen de onafhankelijke variabele 'beroepsgroep' en de afhankelijke variabele 'de antwoorden op vraag 8' is een variantie-analyse (ANOVA) gebruikt. De beroepsgroep van de participant blijkt echter niet bepalend voor de beantwoording van vraag 8 (F(2,54)=1,325; niet significant).

7.9 Vraag 9 – De verhouding rechtsbescherming - pedagogisch belang: constant of flexibel?

Vraag 9. Behoort de raadsman volgens u in de grondslag van zijn verdediging constant dezelfde verhouding (uw antwoord op vraag 8) tussen de rechtsbescherming en het pedagogisch belang te hanteren, of kan de raadsman onder omstandigheden afwijken van deze verhouding?
Deze vraag is door 63 participanten beantwoord. Het antwoord op deze vraag is bepalend voor welke vraag erna moet worden beantwoord. De antwoordmogelijkheden luiden als volgt.
❑ De raadsman behoort in de grondslag van zijn verdediging standaard de verhouding te hanteren tussen de rechtsbescherming en het pedagogisch belang zoals in vraag 8 is geantwoord.
(→ ga door naar vraag 10)
❑ De verhouding tussen het pedagogisch belang van het kind en de rechtsbescherming in de grondslag van de verdediging kan onder omstandigheden afwijken van de op vraag 8 geantwoorde verhouding.
(→ ga door naar vraag 11)
Bij deze vraag hebben 14 participanten gekozen voor het eerste antwoord: zij waren van mening dat de verhouding tussen de rechtsbescherming en het pedagogisch belang in de verdediging niet mocht afwijken van de door hen in vraag 8 gegeven

verhouding. De overige 49 participanten die deze vraag hebben beantwoord, gaven de tweede optie aan: afwijken van de door hen in vraag 8 gegeven verhouding is wel mogelijk.

7.10 Vraag 10 – Redenen voor een constante verhouding rechtsbescherming - pedagogisch belang

Vraag 10. Waarom moet de grondslag van de verdediging standaard de op vraag 8 geantwoorde verhouding hebben tussen de rechtsbescherming en het pedagogisch belang van het kind?
De 14 participanten die bij vraag 9 voor de eerste optie hebben gekozen, moesten vraag 10 invullen. Zij hebben alle 14 deze vraag ingevuld. Hierna moesten zij vraag 11 t/m 15 overslaan. De antwoorden die op vraag 10 zijn gegeven, zijn in het antwoordmodel opgedeeld in drie categorieën. In tabel 7.11 wordt een omschrijving gegeven van deze categorieën met daarachter het aantal participanten dat een antwoord in die categorie heeft gegeven.

Tabel 7.11 Resultaten vraag 10: de categorieën antwoorden met daarachter het aantal participanten dat een antwoord in deze categorie heeft gegeven (n=14).

Waarom de verhouding rechtsbescherming - pedagogisch belang constant moet zijn	Aantal participanten
Omdat de rechtsbescherming in de verdediging altijd zwaarder moet wegen dan het pedagogisch belang	7
Omdat de advocaat er is voor rechtsbescherming, terwijl de overige instanties het pedagogisch belang in de gaten houden	4
Omdat er een evenwicht of harmonie moet zijn tussen de rechtsbescherming en het pedagogisch belang in de verdediging	3

7.11 Vraag 11 – Factoren op grond waarvan de verhouding rechtsbescherming - pedagogisch belang kan veranderen

Vraag 11. Welke factoren en/of actoren kunnen volgens u aanleiding geven tot het afwijken van de in vraag 8 geantwoorde verhouding tussen de rechtsbescherming en het pedagogisch belang in de verdediging en in welke mate?
Deze procentenvraag is door 45 participanten beantwoord. De opgegeven percentageverdelingen zijn gemiddeld en naar rangorde opgenomen in tabel 7.12. Hierin staat ook het aantal participanten dat de betreffende factor een percentage groter dan 0% heeft toegekend en daarmee de genoemde vervolgvraag diende in te vullen.

Tabel 7.12 Resultaten vraag 11: gemiddelde percentages, de standaarddeviatie en het aantal participanten dat een percentage > 0% heeft toegekend en daarmee genoemde vervolgvraag dient in te vullen, in volgorde van percentagegrootte (n=45).

Rang-orde	Factoren die aanleiding kunnen geven tot het afwijken van de verhouding rechtsbescherming - pedagogisch belang	m	SD	Aantal participanten dat een % > 0 heeft toegekend	Vervolg-vraag na invullen van een % > 0
1	Cliënt	46,7%	24,75	43	Vraag 12
2	Feit (ernst, omstandigheden v/h geval, behandeling enkelvoudig/meervoudig enz.)	24,7%	16,75	36	Vraag 13
3	(Opstelling en rolopvatting) andere procesdeelnemers	14,7%	14,40	31	Vraag 15
4	Fase van het proces	9,1%	10,91	24	Vraag 14
5	Anders, namelijk...	3,9%	15,99	4	-
6	Het arrondissement waar het proces zich afspeelt	0,9%	3,58	3	-

7.12 Vraag 12 – De cliënt als aanleiding tot het afwijken van de verhouding rechtsbescherming - pedagogisch belang

Vraag 12. Welke aspecten of kenmerken van de cliënt geven aanleiding tot het afwijken van de verhouding tussen de rechtsbescherming en het pedagogisch belang in de verdediging (uw antwoord op vraag 8) en in welke mate?

Vraag 12 hoefte alleen beantwoord te worden indien bij vraag 11 aan de optie 'cliënt' een percentage groter dan 0% was toegekend. Deze procentenvraag is door alle 43 participanten beantwoord die de vraag moesten beantwoorden gezien hun antwoord op vraag 11.

De opgegeven percentageverdelingen zijn gemiddeld en naar rangorde opgenomen in tabel 7.13.

Tabel 7.13 Resultaten vraag 12: gemiddelde percentages en de standaarddeviatie, in volgorde van percentagegrootte (n=43).

Rang-orde	Aspecten van de cliënt die invloed hebben op het afwijken van de verhouding rechtsbescherming - pedagogisch belang	m	SD
1	Persoonlijke omstandigheden (thuissituatie, activiteiten buitenshuis en verleden)	35,2%	24,23
2	Persoonlijkheid (karakter)	23,3%	16,62
3	Opstelling (bekennen/ontkennen, mening over strafoplegging)	19,9%	13,78
4	Leeftijd	18,2%	14,39
5	Intensiteit van contact met de raadsman (kwaliteit en kwantiteit)	3,4%	5,20

101

7.13 Vraag 13 – Het feit als aanleiding tot het afwijken van de verhouding rechtsbescherming - pedagogisch belang

Vraag 13. Welke aspecten of kenmerken van het feit geven aanleiding tot afwijken van de verhouding tussen de rechtsbescherming en het pedagogisch belang in de verdediging (uw antwoord op vraag 8) en in welke mate?

Vraag 13 hoefte alleen beantwoord te worden indien bij vraag 11 aan de optie 'feit' een percentage groter dan 0% was toegekend. Deze vraag is beantwoord door 33 van de 36 participanten die de vraag moesten beantwoorden gezien hun antwoord op vraag 11. De opgegeven percentageverdelingen zijn gemiddeld en naar rangorde opgenomen in tabel 7.14.

Tabel 7.14 Resultaten vraag 13: gemiddelde percentages en de standaarddeviatie, in volgorde van percentagegrootte (n=33).

Rang-orde	Aspecten van het feit die invloed hebben op het af-wijken van de verhouding rechtsbescherming - pedagogisch belang	m	SD
1	Zwaarte feit (maximaal op te leggen straf: WvSr)	27,1%	15,24
2	Type feit (emotioneel/gevoelsmatig)	20,1%	15,18
3	Omstandigheden van het geval	15,6%	13,45
4	Toestand slachtoffer(s), gedupeerden	13,5%	10,57
5	Aantal strafbare feiten in de zaak	9,3%	11,12
6	Complexiteit van de zaak	9,2%	15,67
7	Behandeling: enkelvoudig/meervoudig	5,2%	9,31

7.14 Vraag 14 – De procesfase als aanleiding tot het afwijken van de verhouding rechtsbescherming - pedagogisch belang

Vraag 14. In welk opzicht geeft de fase waarin het proces zich bevindt, aanleiding tot afwijken van de verhouding tussen de rechtsbescherming en het pedagogisch belang in de verdediging (uw antwoord op vraag 8)?

Vraag 14 hoefte alleen beantwoord te worden indien bij vraag 11 aan de optie 'fase van het proces' een percentage groter dan 0% was toegekend. Vraag 14 is beantwoord door alle 24 participanten die de vraag moesten beantwoorden. De (open) antwoorden die zijn gegeven, zijn in het antwoordmodel opgedeeld in een zes categorieën. In tabel 7.15 wordt een omschrijving gegeven van deze categorieën met daarachter het aantal participanten dat een antwoord in die categorie heeft gegeven.

Tabel 7.15 Resultaten vraag 14: de categorieën antwoorden met daarachter het aantal participanten dat een antwoord in deze categorie heeft gegeven (n=24).

Waarom de procesfase aanleiding kan geven tot afwijken van de verhouding rechtsbescherming - pedagogisch belang	Aantal participanten
In een vroeg stadium van het proces (voorfase) heeft het pedagogisch belang een hogere prioriteit in de verdediging dan de rechtsbescherming	7
In een vroeg stadium van het proces (voorfase) heeft de rechtsbescherming een hogere prioriteit in de verdediging dan het pedagogisch belang	2
In een vroeg stadium van het proces (voorfase) heeft de rechtsbescherming een hogere prioriteit in de verdediging dan het pedagogisch belang en later in het strafproces (zitting) heeft het pedagogisch belang een hogere prioriteit in de verdediging dan de rechtsbescherming	2
Later in het strafproces (zitting) heeft het pedagogisch belang een hogere prioriteit in de verdediging dan de rechtsbescherming	1
Later in het strafproces (zitting) heeft de rechtsbescherming een hogere prioriteit in de verdediging dan het pedagogisch belang	3
Anders	9

7.15 Vraag 15 – De procesdeelnemers als aanleiding tot het afwijken van de verhouding rechtsbescherming - pedagogisch belang

Vraag 15. Welke procesdeelnemer(s) en/of betrokkene(n) hebben invloed op het afwijken van de verhouding tussen de rechtsbescherming en het pedagogisch belang in de verdediging (uw antwoord op vraag 8) en in welke mate?
Vraag 15 hoefte alleen beantwoord te worden indien bij vraag 11 aan de optie '(opstelling en rolopvatting) procesdeelnemers/betrokkenen' een percentage groter dan 0% was toegekend. Deze procentenvraag is door 24 participanten beantwoord van de 31 participanten die de vraag moesten beantwoorden gezien hun antwoord op vraag 11. De opgegeven percentageverdelingen zijn gemiddeld en naar rangorde opgenomen in tabel 7.16.

Tabel 7.16 Resultaten vraag 15: gemiddelde percentages en de standaarddeviatie, in volgorde van percentagegrootte (n=24).

Rangorde	Procesdeelnemers die invloed hebben op het afwijken van de verhouding rechtsbescherming - pedagogisch belang	m	SD
1	Kinderrechter	24,4%	15,06
2	Ouders	16,3%	14,39
2	Hulpverlening	16,3%	11,16
3	Officier van justitie	16,0%	14,29
4	Cliënt	14,4%	12,96
5	Raad voor de kinderbescherming	9,6%	9,77
6	Anders, namelijk…	3,1%	10,82

7.16 Vraag 16 – Invloed van het standpunt van de cliënt op de verdediging

Vraag 16. In hoeverre beïnvloedt het standpunt van de cliënt zoals dat bij de eerste ontmoeting met zijn raadsman luidt, de strategie van de verdediging?
Met 'het standpunt van de cliënt' wordt gedoeld op het door de cliënt bekennen of ontkennen van het ten laste gelegde feit. Open vraag 16 is beantwoord door 59 participanten. De antwoorden die op vraag 16 zijn gegeven, zijn in het antwoordmodel opgedeeld in een aantal categorieën. In tabel 7.17 wordt een overzicht gegeven van deze categorieën met daarachter het aantal participanten dat een antwoord in die categorie heeft gegeven.

Tabel 7.17 Resultaten vraag 16: de categorieën antwoorden met daarachter het aantal participanten dat een antwoord in deze categorie heeft gegeven (n=59).

Mate van invloed van het standpunt van de cliënt tijdens de eerste ontmoeting op de strategie van de verdediging	Aantal participanten
Niet / nauwelijks	15
Een beetje / enigszins / half	3
Grotendeels / helemaal	18
Wisselend	16
Weet niet	4
Anders	3

7.17 Vraag 17 – Door wie het standpunt van de cliënt wordt beïnvloed

Vraag 17. Door wie is het uiteindelijk in de verdediging ingenomen standpunt van de cliënt beïnvloed en in welke mate?
Deze procentenvraag is door 55 participanten beantwoord. De opgegeven percentageverdelingen zijn gemiddeld en naar rangorde opgenomen in tabel 7.18.

Tabel 7.18 Resultaten vraag 17: gemiddelde percentages en de standaarddeviatie, in volgorde van percentagegrootte (n=55).

Rangorde	Wie het uiteindelijk in de verdediging ingenomen standpunt van de cliënt heeft beïnvloed	m	SD
1	Cliënt zelf	35,9%	20,00
2	Raadsman	34,6%	19,49
3	Hulpverlening	14,1%	13,98
4	Ouders/verzorgers	14,0%	13,10
5	Anders, namelijk....	1,4%	4,77

7.18 Vraag 18 – Hoe, in welke gevallen en waarom de raadsman het standpunt van de cliënt beïnvloedt

Vraag 18. Hoe beïnvloedt de raadsman het standpunt van de cliënt, in welke gevallen en waarom?
Vraag 18 hoefte alleen beantwoord te worden indien bij vraag 17 aan de optie 'raadsman' een percentage groter dan 0% was toegekend. Deze vraag is door 52 participanten beantwoord van de 53 participanten die deze vraag moesten beantwoorden gezien hun antwoord op vraag 17.
Aangezien deze open vraag eigenlijk uit drie verschillende vragen bestaat, is het antwoordmodel in drieën gesplitst: 1. *Hoe*, 2. *In welke gevallen* en 3. *Waarom*.

1. *Hoe*
De antwoorden die zijn gegeven op de vraag *hoe* de raadsman het standpunt van zijn cliënt beïnvloedt, zijn in het antwoordmodel opgedeeld in vier categorieën. Dit deel van vraag 18 is door 47 participanten beantwoord. In tabel 7.19 wordt een overzicht gegeven van deze categorieën, met daarachter het aantal participanten dat een antwoord in die categorie heeft gegeven.

Tabel 7.19 Resultaten vraag 18-1. *Hoe*: de categorieën antwoorden met daarachter het aantal participanten dat een antwoord in deze categorie heeft gegeven (n=47).

Hoe de raadsman het standpunt van zijn cliënt beïnvloedt	Aantal participanten
Door gebruik van: uitleg, bespreken, voorlichting, advies, aanraden.	27
Door gebruik van: overtuigingskracht, overwicht, druk, status (leeftijd en deskundigheid), aansporen, overreden	12
Door een spiegel voor te houden	5
Anders	3

2. *In welke gevallen*
De antwoorden die zijn gegeven op de vraag *in welke gevallen* de raadsman het standpunt van zijn cliënt beïnvloedt, zijn in het antwoordmodel opgedeeld in vijf categorieën. Dit deel van vraag 18 is door 32 participanten beantwoord. In tabel 7.20 wordt een overzicht gegeven van deze categorieën met daarachter het aantal participanten dat een antwoord in die categorie heeft gegeven.

Tabel 7.20 Resultaten vraag 18-2. *In welke gevallen*: de categorieën antwoorden met daarachter het aantal participanten dat een antwoord in deze categorie heeft gegeven (n=32).

In welke gevallen de raadsman het standpunt van zijn cliënt beïnvloedt	Aantal participanten
Wanneer verdachte blijft ontkennen terwijl er voldoende belastend bewijs is / oneerlijkheid	19
Wanneer dit in het belang is van de cliënt	4
Wanneer dit een gunstige invloed heeft op het strafrechtelijk resultaat	2
In alle gevallen	2
Anders	5

3. Waarom
De antwoorden die zijn gegeven op de vraag *waarom* de raadsman het standpunt van zijn cliënt beïnvloedt, zijn in het antwoordmodel opgedeeld in vijf categorieën. Dit deel van vraag 18 is door 30 participanten beantwoord. In tabel 7.21 wordt een overzicht gegeven van deze categorieën met daarachter het aantal participanten dat een antwoord in die categorie heeft gegeven.

Tabel 7.21 Resultaten vraag 18-3. *Waarom*: de categorieën antwoorden met daarachter het aantal participanten dat een antwoord in deze categorie heeft gegeven (n=30).

Waarom de raadsman het standpunt van zijn cliënt beïnvloedt	Aantal participanten
Omdat dit in het belang is van cliënt	8
Omdat dit gunstig is voor het strafrechtelijk resultaat	8
Om cliënt voor te bereiden, inzicht te geven, informatie te geven, te zorgen voor een verstandige proceshouding	7
Omdat cliënt het zelf niet goed weet / geen goed beeld heeft	2
Anders	5

7.19 Vraag 19 – Problemen in de verdediging met formele regels

Vraag 19. Signaleert u in de praktijk problemen met bepaalde formele regels in de verdediging? Zo ja, welke?
Deze open vraag is door 45 participanten beantwoord. De antwoorden die zijn gegeven, zijn in het antwoordmodel opgedeeld in drie categorieën. In tabel 7.22 wordt een overzicht gegeven van deze categorieën met daarachter het aantal participanten dat een antwoord in die categorie heeft gegeven.

Tabel 7.22 Resultaten vraag 19: de categorieën antwoorden met daarachter het aantal participanten dat dit antwoord (of een soortgelijk antwoord in andere bewoordingen) heeft gegeven (n=45).

Of er in de praktijk problemen met formele regels zijn in de verdediging en zo ja, welke	Aantal participanten
Nee	20
Ja, het (te gemakkelijk) aan de kant schuiven van formele regels, formele verweren en getuigenverhoren.	12
Ja, anders	13

7.20   Vraag 20a en 20b – Problemen in de samenwerking tussen raadsman en overige procesdeelnemers

Vraag 20a. Signaleert u in de praktijk problemen bij de samenwerking tussen de raadsman en de overige procesdeelnemers?
Vraag 20a is door 62 participanten beantwoord. Achter de antwoorden staat het aantal participanten dat dit antwoord heeft aangekruist vetgedrukt vermeld.

❑   Nee, de samenwerking verloopt zeer goed aangezien aan de wederzijdse verwachtingen wordt voldaan (**18 participanten**)
❑   Ja, de samenwerking verloopt niet altijd goed omdat er niet aan de wederzijdse verwachtingen wordt voldaan (**44 participanten**)
   Dit betreft vooral de samenwerking tussen de raadsman en (er zijn meerdere antwoorden mogelijk):
   O   de officier van justitie (**23 participanten**)
   O   de Raad voor de kinderbescherming (**22 participanten**)
   O   Bureau taakstraffen minderjarigen van de Raad (**8 participanten**)
   O   de jeugdreclassering (**21 participanten**)
   O   de kinderrechter in het algemeen (**12 participanten**)
   O   de kinderrechter als rechter-commissaris (**13 participanten**)
   O   de raadkamer gevangenhouding (**13 participanten**)
   O   de kinderrechter als zittingsrechter (**10 participanten**)
   O   de meervoudige kamer in jeugdstrafzaken (**9 participanten**)

Vraag 20b. Welke problemen signaleert u in de samenwerking tussen de raadsman en de door u aangekruiste instantie(s) en hoe denkt u dat de wederzijdse verwachtingen beter op elkaar kunnen worden afgestemd?
Vraag 20b hoefde alleen beantwoord te worden indien bij vraag 20a 'ja' was aangekruist. Dit gedeelte van de vraag is door 42 van de 44 participanten – die de vraag moesten beantwoorden gezien hun antwoord op vraag 20a – beantwoord. Aangezien de antwoorden veel dezelfde of soortgelijke omschrijvingen bevatten, zijn de meest voorkomende omschrijvingen op een rijtje gezet om vervolgens te turven hoe vaak ze werden genoemd. Zie voor deze telling tabel 7.23

Tabel 7.23 Resultaten vraag 20b: de categorieën antwoorden met daarachter het aantal keren dat dit probleem is genoemd door de 42 participanten die deze vraag hebben beantwoord.

Problemen in de samenwerking tussen de raadsman en de in vraag 20a aangekruiste instanties	Aantal keren genoemd
Gebrek aan professionaliteit en capaciteit, verkeerde rolopvatting	27
Gebrek aan communicatie, informatievoorziening, bereikbaarheid, overleg	16
Het teveel benadrukken (raadsman) of te gemakkelijk bekritiseren en verwerpen (KR/OvJ) van formele verweren en getuigenverhoren (rechtsbescherming versus pedagogisch belang)	11
Te lange doorlooptijden en wachttijden, te veel vertraging	10

8 Conclusie praktijkonderzoek: antwoorden op de onderzoeksvragen

De probleemstelling werd voor het verrichten van het praktijkonderzoek in hoofdstuk 5 nader uitgewerkt in een aantal onderzoeksvragen. In deze conclusie van het praktijkonderzoek zullen de resultaten van het onderzoek worden gebruikt voor het beantwoorden van die onderzoeksvragen. De nummering na hoofdstuknummer 8 komt overeen met de nummers van de onderzoeksvragen zoals aangegeven in hoofdstuk 5, zodat bijvoorbeeld 8.1 onderzoeksvraag 1 beantwoord en 8.7.1 onderzoeksvraag 7.1.

8.1 Inhoud van een op rechtsbescherming gerichte verdediging

Uit de beantwoording van vraag 6 van de vragenlijst (zie 7.6) blijkt ten eerste dat 6% van alle participanten geen omschrijving kan geven van een op de rechtsbescherming gerichte verdediging in jeugdstrafzaken en 94% wel. Ten tweede blijkt dat 86% van de participanten (dus een grote meerderheid van de 94% die een omschrijving gaven) het bewaken van regels van behoorlijk procesrecht opneemt in zijn omschrijving van de inhoud van een op de rechtsbescherming van de minderjarige cliënt gerichte verdediging.

Een op de rechtsbescherming gerichte verdediging in jeugdstrafzaken houdt dus in ieder geval in dat de regels van behoorlijk procesrecht worden bewaakt. Daarnaast maakt ook het verdedigen van het standpunt van de cliënt hier deel van uit. Een op de rechtsbescherming gerichte verdediging heeft verder volgens bijna de helft van de participanten het pleiten voor minimale strafoplegging als onderdeel. Opvallend genoeg is ook het streven naar een passende pedagogisch strafoplegging door 28% van de participanten is genoemd als onderdeel van een op de rechtsbescherming gerichte verdediging:

> Streven naar een straf, die pedagogisch gezien zin heeft in het concrete geval zodat het kind "op het goede pad komt".

> [Streven naar] Een zo passend mogelijke straf, gericht op de toekomst.

> [Streven] naar een strafoplegging die geschikt is om recidive te voorkomen en waar de verdachte wat van leert. (Dat is uiteindelijk het meest in het belang van zijn cliënt)

> Het uitlokken van een beslissing die voor de toekomst van de jeugdige het meest verantwoord lijkt.

Verder geeft een minderheid van de participanten nog als inhoud het geven van uitleg en het kweken van begrip.

8.2 Inhoud van het pedagogisch belang van de minderjarige verdachte

8.2.1 Een algemene omschrijving of definitie

Ten eerste blijkt uit vraag 3 van de vragenlijst (zie 7.3) dat 47% van de participanten geen algemene definitie of omschrijving kan geven van het pedagogisch belang van de minderjarige verdachte en 53% wel. Ten tweede blijkt dat 33% van alle participanten (dus een ruime meerderheid van de 53% die een beschrijving kan geven van het pedagogisch belang) de speciale preventie opneemt in zijn definitie of omschrijving van het pedagogisch belang in het jeugdstrafrecht.

Wat het pedagogisch belang in het jeugdstrafrecht inhoudt, is dus volgens bijna de helft van de participanten afhankelijk van de omstandigheden van het geval. De begrippen waarmee de meerderheid die wel een definitie of omschrijving kan geven het pedagogisch belang in het jeugdstrafrecht inkleurt, zijn redelijk eenduidig. Het pedagogisch belang in het jeugdstrafrecht komt hoofdzakelijk tot uiting in de speciale preventie. Daarnaast komt het pedagogisch belang in het jeugdstrafrecht naar voren in het bijbrengen van en inzicht geven in waarden en normen, en het aangeven van grenzen:

> Het leren in de praktijk welke gevolgen het 'kwade' handelen met zich meebrengt, immers het 'goede' handelen beloont zich altijd al.

> Het pedagogisch belang is het versterken van het normen en waarden patroon van het kind met als doel daarmee de kans op recidive te verminderen.

> Speciale preventie en inscherpen van normen en waarden uit de samenleving (krachtig bewustmaken).

> Het besef bij de minderjarige dat normen zijn overschreden en dat dit niet ongesanctioneerd kan blijven.

8.2.2 Pedagogisch belang als doelstelling van het jeugdstrafrecht

Het meest opvallende verschil tussen de beantwoording van vraag 1 en de beantwoording van vraag 2 van de vragenlijst (zie 7.2) is de verschillende plaats van het aspect 'de ondersteuning van het (pedagogisch) belang van verdachte' in de doelstelling van het jeugdstrafrecht en van het volwassenenstrafrecht. In de doelstelling van het jeugdstrafrecht komt dit aspect op een goede tweede plaats uit, terwijl dit aspect in de doelstelling van het volwassenenstrafrecht op de zesde plaats eindigt.

Het blijkt dus duidelijk uit de resultaten dat het (pedagogisch) belang van de verdachte als een zeer belangrijk aspect in de doelstelling van het jeugdstrafrecht wordt beschouwd door de participanten. De hoge prioriteit van dit aspect komt dan ook uit het onderzoek naar voren als het voornaamste verschil tussen de doelstelling van het jeugdstrafrecht en de doelstelling van het volwassenenstrafrecht. Verder is de prioriteitenstelling van de aspecten in de verschillende doelstellingen nagenoeg gelijk. Zo staat de speciale preventie in zowel het jeugdstrafrecht als het volwassenenstrafrecht, op de eerste plaats.

Het pedagogisch belang van verdachte staat in de doelstelling van het jeugdstrafrecht dan wel op de tweede plaats, maar lijkt desondanks niet minder belangrijk te zijn dan de speciale preventie. De speciale preventie wordt immers, blijkens de vorige paragraaf, als een zeer belangrijk onderdeel van het pedagogisch belang beschouwd. Dit blijkt ook uit de volgende toelichtingen:

> Generale preventie is bij jeugdigen van tamelijk geringe betekenis in vergelijking met volwassenen. Speciale preventie en ondersteuning van het pedagogisch belang is eigenlijk ongeveer hetzelfde.

> Naar mijn idee overlappen speciale preventie en ondersteuning van het (pedagogisch) belang van verdachte elkaar deels.

> Ik vind speciale preventie in grote mate samenhangen met ondersteuning van het belang van verdachte.

8.2.3 Het pedagogisch effect van middelen van jeugdstrafrecht

Nu blijft de vraag welke middelen van het jeugdstrafrecht het pedagogisch belang van de minderjarige verdachte ondersteunen. Uit de resultaten van vraag 4 uit de vragenlijst (zie 7.4) blijkt dat *in zijn algemeenheid* zowel de 'inmenging in de opvoeding door de overheid door middel van straffen' als het 'niet gestraft worden door de overheid, maar door de ouders/verzorgers wanneer de wet overtreden is' worden geacht een positief effect te hebben op het pedagogisch belang van het kind. Wanneer het jeugdstrafrecht wordt toegepast, wordt *in het strafproces* 'de verplichte begeleiding als bijzondere voorwaarde bij schorsing (maatregel Hulp en Steun)' als *pedagogisch positief* bestempeld. In het proces wordt tevens 'een zo snel mogelijke berechting' in het pedagogisch belang van de minderjarige verdachte geacht. Ook de verschijningsplicht, de geslotenheid van de zitting, het horen van verdachte en onmiddellijke hulpverlening bij verdachte dragen volgens de participanten bij aan het pedagogisch belang van de minderjarige. De minderjarige verdachte dient voor een pedagogisch positief proces evenveel rechtsbescherming te genieten als volwassenen. Minder rechtsbescherming krijgen dan volwassenen wordt dan ook als *pedagogisch negatief* bestempeld.

In de strafrechtelijke reactie wordt 'minder straf krijgen naarmate er meer tijd zit tussen daad en strafoplegging' bestempeld als *pedagogisch positief*. Verder hebben 'straf in verhouding met het gepleegde feit en omstandigheden' en 'straf in verhouding met de persoonlijke omstandigheden' ook een positief pedagogisch effect. Zowel de strafrechtelijke reactie in de vorm van het 'Hamertjesmodel' (straf als voorwaarde voor schorsing, ook wel het 'Amsterdams model' genoemd) als die in de vorm van HALT (alternatieve afdoening door de officier van justitie, ook wel het 'officiersmodel' genoemd) hebben volgens de participanten een positief pedagogisch effect.

Daartegenover heeft het op formele gronden uitblijven van straf wanneer de wet wel overtreden is volgens de participanten een *negatief effect* op het pedagogisch belang van de minderjarige verdachte.

Tegenstrijdig is de combinatie dat het als pedagogisch negatief wordt bestempeld wanneer de minderjarige minder rechtsbescherming geniet dan volwassenen, terwijl tevens het op formele gronden niet gestraft worden wanneer de wet wel overtreden is wordt geacht een negatief effect op het pedagogisch belang van de minderjarige te hebben. Aangezien het één het gevolg kan zijn van het ander, lijkt het alsof zowel de aan- als de afwezigheid van rechtsbescherming volgens de participanten een negatief effect heeft op het pedagogisch belang van de minderjarige indien dit leidt tot de situatie dat een schuldige verdachte op formele gronden niet wordt gestraft.

8.2.4 Het pedagogisch effect van het optreden van de raadsman

Uit de resultaten van vraag 7 van de vragenlijst (zie 7.7) blijkt dat het voor een pedagogisch verantwoorde verdediging van belang wordt geacht dat de raadsman de minderjarige in het proces betrekt bij de voorbereiding van de verdediging. In de verdediging behoort ook tot een pedagogisch optreden van de raadsman dat hij het standpunt van de minderjarige verdedigt, opkomt voor het pedagogisch belang van zijn cliënt en pleit voor adequate strafoplegging. Wanneer de raadsman onvoorwaardelijk aan de kant van de minderjarige staat tegenover de officier van justitie draagt dit eveneens bij aan het pedagogisch belang van de minderjarige.

Daartegenover is er ook een aantal middelen van verdediging van de raadsman die volgens de participanten een negatief effect hebben op het pedagogisch belang van de minderjarige verdachte. Het door de raadsman pogen om zijn cliënt vrij te pleiten indien hij schuldig is, wordt geacht een negatief effect op het pedagogisch belang van de minderjarige te hebben. Verder heeft het eveneens een negatief effect op het pedagogisch belang wanneer de raadsman onvoorwaardelijk aan de kant van de minderjarige staat tegenover de ouders en de hulpverlening.

8.2.5 Invloed op de opvatting over het pedagogisch belang

Door wie volgens de raadslieden hun opvatting over het pedagogisch belang van de minderjarige cliënt wordt beïnvloedt en in welke mate (vraag 5 van de vragenlijst, zie 7.5), is weergegeven in diagram 8.1. Uit dit cirkeldiagram blijkt dat raadslieden in eerste instantie afgaan op hun eigen mening om te bepalen wat het pedagogisch belang in concreto vereist. Zij vullen hun eigen zienswijze in de eerste plaats aan met die van de hulpverlening. Op de tweede, derde en vierde plaats volgen respectievelijk de cliënt, de ouders en de Raad voor de kinderbescherming. De Kinderrechter en de officier van justitie hebben pas in de laatste plaats invloed op de meningsvorming van de raadsman. Andere personen waarop sommige raadslieden afgaan bij het bepalen wat het pedagogisch belang in een concreet geval vereist, zijn de gedragsdeskundige en de school, familie en vrienden van de cliënt.

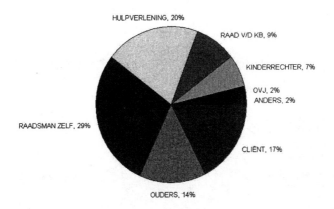

HULPVERLENING, 20%

RAAD V/D KB, 9%

KINDERRECHTER, 7%

OVJ, 2%
ANDERS, 2%

RAADSMAN ZELF, 29%

CLIËNT, 17%

OUDERS, 14%

Diagram 8.1 Cirkeldiagram van de gemiddelde percentages van de participanten als antwoord op de vraag door wie de opvatting van de raadsman over het pedagogisch belang van zijn minderjarige cliënt in welke mate is beïnvloedt (n=25).

Meerdere participanten geven bij deze vraag de toelichting dat de beantwoording van de vraag afhangt van de betrokkenheid van en het contact met de genoemde personen en instanties, zoals blijkt uit de opmerkingen: "Uiteraard afhankelijk van de betrokkenen hun betrokkenheid", "Hoe beter het contact, des te meer invloed, uiteraard" en "Van alle categorieën is hun invloed op de beoordeling sterk afhankelijk van de hiervoor genoemde kwaliteiten [kwaliteit, persoonlijkheid en ervaring] of afwezigheid daarvan".

8.3 De verhouding rechtsbescherming – pedagogisch belang in de verdediging

Uit vraag 8 van de vragenlijst blijkt dat de rechtsbescherming het wint van het pedagogisch belang in de verdediging van de minderjarige verdachte in de verhouding 60%-40%. Dat wil zeggen dat de participanten van mening zijn dat de rechtsbescherming in de verdediging voorrang dient te hebben boven het pedagogisch belang. Het pedagogisch belang heeft echter toch een redelijk groot aandeel in de verdediging toebedeeld gekregen.

Uit de toelichtingen blijkt dat ten minste vijf van de participanten van mening zijn dat de rechtsbescherming en het pedagogisch belang hetzelfde zijn of dat het pedagogisch belang gediend wordt door een goede rechtsbescherming. Dit is bijvoorbeeld verwoord als: "Ik zie geen tegenstelling" en "rechtsbescherming = pedagogisch belang". Dit hangt waarschijnlijk samen met de diversiteit aan definities die er voor beide begrippen gegeven zijn. Wanneer de inhoud die door de participanten is gegeven aan de begrippen rechtsbescherming en pedagogisch belang in de verdediging (zie 8.1.2 en 8.2) wordt weergegeven in een Venndiagram, wordt duidelijk in hoeverre de twee begrippen elkaar in ieder geval kunnen overlappen en daarmee

113

waar de gelijkstelling van de begrippen mogelijk vandaan kan komen (zie diagram 8.2).

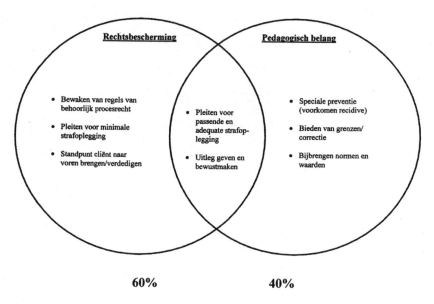

60%   40%

Diagram 8.2 Venndiagram waarin wordt weergegeven hoe de betekenissen die door de participanten aan de begrippen rechtsbescherming en pedagogisch belang zijn toegekend, elkaar kunnen overlappen.

8.4 Invloed van de 'beroepsgroep' op de opvattingen over de verhouding rechtsbescherming – pedagogisch belang

Indien de onderscheidende factor 'beroepsgroep' van invloed is op de gegeven ver-houding rechtsbescherming – pedagogisch belang in de verdediging (zie 8.3) bete-kent dat, dat verschillen in opvatting tussen de procesdeelnemers de oorzaak (kun-nen) zijn van misverstanden en onbegrip tussen de procesdeelnemers. Dit is echter niet als zodanig uit de resultaten gebleken. Dat betekent dat de opvatting over de verhouding tussen de rechtsbescherming en het pedagogisch belang in de verdedi-ging van vraag 8 uit de vragenlijst (zie 7.8) niet beroepsgroepafhankelijk is en dat een ander verschil tussen de participanten de oorzaak van de meningsverschillen is. Er valt aan de hand van het vragenlijstonderzoek niet te bepalen waaruit de ver-schillen in mening voortkomen. Er kan echter wel gesteld worden dat het eerder om persoonlijke verschillen dan om beroepsgebonden verschillen zal gaan. Dit verklaart ook waarom het per zaak en samenstelling kan verschillen of de procesdeelnemers wel of niet op één lijn zitten.

8.5 De flexibele verhouding rechtsbescherming – pedagogisch belang

Uit vraag 9 van de vragenlijst (zie 7.9) blijkt dat volgens een grote meerderheid (78%) de verhouding tussen de rechtsbescherming en het pedagogisch belang in de verdediging flexibel moet zijn.

De minderheid die het daar niet mee eens is en die de rechtsbescherming het hoogste percentage heeft toebedeeld, geeft hiervoor in vraag 10 van de vragenlijst (zie 7.10) voornamelijk als reden dat de rechtsbescherming in de verdediging altijd zwaarder dient te wegen dan het pedagogisch belang en dat de raadsman er is voor de rechtsbescherming; het pedagogisch belang wordt door ander instanties behartigd:

> Omdat rechtsbescherming altijd voorop dient te staan. Slechts in zeer uitzonderlijke gevallen is het pedagogisch belang een punt van aandacht

> Natuurlijk spelen opvoedkundige belangen mee, maar rechtsbescherming moet altijd overeind blijven staan, dat kun je niet opzij zetten om een bepaald doel te behalen.

> Pedagogisch belang is groot [...], maar rechtsbescherming is essentieel.

> De advocaat is rechtsbeschermer. Hulpverlening, OvJ, KR bewaken het pedagogisch belang.

> In het minderjarigenstrafrecht zijn er genoeg deelnemers aan het proces die het pedagogisch belang van de minderjarige kunnen aanvoeren/verdedigen.

De participanten die oordelen dat de verhouding constant moet zijn en die deze hadden vastgesteld op 50%-50%, geven voornamelijk als reden dat er in de verdediging "evenwicht" of "harmonie" dient te bestaan tussen de rechtsbescherming en het pedagogisch belang.

8.6 De factoren die afwijking veroorzaken van de verhouding rechtsbescherming – pedagogisch belang

De factoren of actoren en hun onderverdelingen die volgens de participanten in vraag 11 t/m 15 van de vragenlijst (zie 7.11 t/m 7.15) een afwijking van de genoemde verhouding tussen de rechtsbescherming en het pedagogisch belang in de verdediging kunnen veroorzaken, worden schematisch weergegeven in diagram 8.3. Dit schema van cirkeldiagrammen laat de mate van invloed van de verschillende factoren en actoren zien op de verhouding tussen de rechtsbescherming en het pedagogisch belang in de verdediging, zoals dit door de participanten is aangegeven.

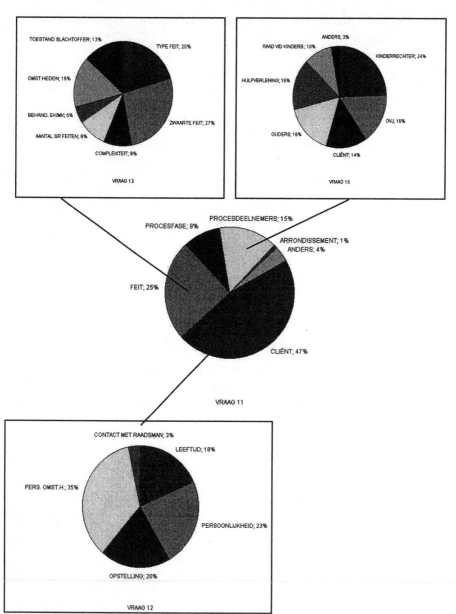

Diagram 8.3 Cirkeldiagrammen bij vraag 11 en de achterliggende vragen 12, 13 en 15 met de gemiddelde percentages van de participanten, die de mate van invloed van de verschillende factoren en actoren laten zien op de verhouding tussen de rechtsbescherming en het pedagogisch belang in de verdediging.

Zoals uit diagram 8.3 naar voren komt, geven de *persoonlijke omstandigheden van de cliënt* de voornaamste aanleiding tot het afwijken van de verhouding tussen de rechtsbescherming en het pedagogisch belang in de verdediging, zoals door de participanten aangegeven in vraag 8 van de vragenlijst. Wanneer het *feit* deze aanleiding geeft, zal dat in eerste instantie meestal wegens de *zwaarte van het feit* zijn (de maximumstraf) of anders wegens *het type feit* (het emotionele karakter van het feit). Ook de *opstelling van de procesdeelnemers* kan aanleiding geven tot afwijken van de verhouding rechtsbescherming – pedagogisch belang. Van de procesdeelnemers heeft de opstelling en rolopvatting van de *kinderrechter* hierop de grootste invloed.

Over de overige factoren die aanleiding kunnen geven tot het veranderen van de verhouding tussen de rechtsbescherming en het pedagogisch belang in de verdediging en die niet zijn uitgewerkt in diagram 8.3, kan nog het volgende gezegd worden:

- De *procesfase* wordt door 10 van de 24 participanten van invloed geacht op genoemde verhouding omdat 'in een vroeg stadium van het proces (voorfase) het pedagogisch belang een hogere prioriteit heeft dan de rechtsbescherming' of omdat 'in een later stadium de rechtsbescherming een hogere prioriteit heeft in de verdediging dan het pedagogisch belang'.

  Vijf participanten geven het omgekeerde aan, namelijk dat in een vroeg stadium van het proces (voorfase) de rechtsbescherming een hogere prioriteit heeft in de verdediging dan het pedagogisch belang en/of dat later in het strafproces (zitting) het pedagogisch belang een hogere prioriteit heeft in de verdediging dan de rechtsbescherming.

- *Andere factoren* die door de participanten zijn aangegeven zijn onder andere: *aard van het proces* ("indien er volgens de raadsman sprake is van het schenden van regels van behoorlijk procesrecht dient de verdediging hierop te zijn gericht"), *wachttijden bij de civiele hulpverlening* ("wachttijden civiele hulpverlening kunnen te lange voorlopige hechtenis 'rechtvaardigen'") en *rapportages*.

8.7 Het standpunt van de cliënt in de verdediging

8.7.1 Invloed van het eerste standpunt van de cliënt op de verdediging

De meningen van de participanten zijn sterk verdeeld het antwoord op vraag 16 van de vragenlijst 'in hoeverre het ontkennend of bekennend standpunt van de cliënt ten tijde van de eerste ontmoeting met zijn raadsman, bepalend is voor de strategie van de verdediging' (zie 7.16). Er zijn bijna evenveel participanten die zeggen dat dit *niet of nauwelijks* het geval is of dat het *wisselend* is, als dat er participanten zijn die *grotendeels of helemaal* geantwoord hebben. Uit de toelichtingen op deze antwoorden blijkt enigszins waardoor deze verschillen komen.

De participanten die *niet of nauwelijks* hebben geantwoord, motiveren dit met name door te stellen dat het standpunt van de cliënt nogal eens wil veranderen na de eerste ontmoeting. Om dit te illustreren het volgende antwoord: "Een ervaren raadsman zal zijn processtrategie zeker niet afstemmen op de proceshouding van de cliënt bij zijn eerste ontmoeting. Een flexibele opstelling lijkt mij in het belang van zijn cliënt. Cliënt kan immers nog van gedachten veranderen".

De participanten die stellen dat de invloed *wisselend* is, motiveren dit veelal door te stellen dat het afhangt van de zaak en met name van het aanwezige bewijs.

117

De participanten die *grotendeels of helemaal* hebben geantwoord, geven overwegend als motivatie dat de verdediging in lijn dient te zijn met het standpunt van de cliënt. De verschillende categorieën antwoorden lijken elkaar in eerste instantie geheel tegen te spreken, maar wanneer naar de nadere motivatie gekeken wordt, lijkt het alsof de invalshoek van waaruit geantwoord wordt wel eens de oorzaak zou kunnen zijn van de verschillen. Immers, alle drie van de hierboven genoemde categorieën lijken hetzelfde uitgangspunt te hebben: de raadsman moet het standpunt van zijn cliënt verdedigen. De invalshoek is *anders* in die zin, dat er gekeken wordt vanuit de gedachte dat het standpunt van de cliënt de rest van het proces al dan niet hetzelfde blijft.

Er zijn echter ook participanten die het niet (geheel) eens zijn met de stelling dat de raadsman het standpunt van de cliënt moet verdedigen. Zij zijn bijvoorbeeld van mening dat de raadsman "het beste voor zijn cliënt [...] Dan bedoel ik in pedagogisch opzicht" eruit moet halen, of dat de raadsman een "onafhankelijke positie" ten opzichte van de cliënt moet houden: "Ik ga nooit automatisch 'mee' met mijn cliënt".

8.7.2   Wie het uiteindelijke standpunt van de cliënt heeft beïnvloed

Door wie volgens de participanten het uiteindelijk door de cliënt ingenomen standpunt (bekennen of ontkennen van het ten laste gelegde feit) in welke mate is beïnvloedt (vraag 17 van de vragenlijst, zie 7.17), is weergegeven in diagram 8.4. Uit dit cirkeldiagram blijkt dat de cliënt en de raadsman in vrijwel even grote mate (samen?) het uiteindelijke standpunt van de cliënt in hoofdzaak hebben beïnvloed. De ouders en de hulpverlening beïnvloeden in mindere mate dan de cliënt en de raadsman het uiteindelijke standpunt van de cliënt en zijn onderling gelijk in de mate van invloed.

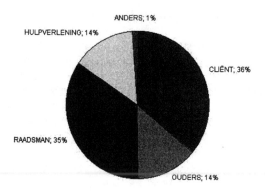

Diagram 8.4 Cirkeldiagram van de gemiddelde percentages van de participanten als antwoord op de vraag door wie het uiteindelijk door de cliënt ingenomen standpunt in welke mate is beïnvloedt (n=55).

8.7.3 Beïnvloeding van het standpunt van de cliënt door de raadsman

De antwoorden op vraag 18 van de vragenlijst (zie 7.18) over hoe, in welke gevallen en waarom de raadsman het standpunt van zijn cliënt beïnvloedt, zijn als volgt samen te vatten. De raadsman beïnvloedt het standpunt van zijn cliënt ten eerste door informatie te verstrekken door uitleg, bespreken, voorlichting, advies en aanraden. Ten tweede kan de raadsman druk uitoefenen op zijn cliënt door overtuigingskracht, overwicht, status (leeftijd en deskundigheid), aansporen en overreden. De raadsman zal het standpunt van zijn cliënt met name beïnvloeden in de gevallen waarin de verdachte blijft ontkennen, terwijl er voldoende belastend bewijs is en er dus sprake lijkt te zijn van oneerlijkheid van de cliënt. De raadsman oefent deze invloed voornamelijk uit omdat dit in het belang is van zijn cliënt, gunstig is voor het strafrechtelijk resultaat of om informatie te verstrekken en te zorgen voor een verstandige proceshouding.

8.8 Gesignaleerde problemen bij de verdediging

8.8.1 Problemen in de verdediging met formele regels

Uit vraag 19 van de vragenlijst (zie 7.19) blijkt dat in de praktijk van het jeugdstrafrecht door 44% geen problemen met formele regels worden gesignaleerd in de verdediging. Van de 56% die hier wel problemen signaleert, noemt bijna de helft 'het (te gemakkelijk) aan de kant schuiven van formele regels, formele verweren en getuigenverhoren'. Zo wordt er door een van de participanten gesteld: "Een formeel verweer wordt in het algemeen niet altijd in dank afgenomen (en soms ook wel erg gemakkelijk gepasseerd)", en door een andere participant: "Kinderrechters/OvJ's hebben neiging formele regels ter zijde te stellen met het oog op gewenste resultaat". Dit 'aan de kant schuiven' van formele regels en verweren kan plaatsvinden op een subtiele manier: "[..] maar het werkt zeer storend als verzoeken tot horen getuigen als onderzoek etc. tegengewerkt worden en als tijdens de zitting 'boos' gekeken wordt als er wel een formeel verweer gevoerd wordt". Het kan echter ook minder subtiel: "Bij de magistratuur geldt het beginsel dat het in het algemeen 'not-done' is om zich te beroepen op formele regels. Zoals OVJ [...] het eens formuleerde: 'het verweer van de raadsman zou leiden tot vrijspaak en dat kan toch niet de bedoeling zijn' ".

8.8.2 Problemen in de samenwerking tussen de raadsman en overige procesdeelnemers

Uit vraag 20a van de vragenlijst (zie 7.20) blijkt dat door 29% in de praktijk van het jeugdstrafrecht geen problemen in de samenwerking tussen de raadsman en de overige procesdeelnemers worden gesignaleerd. Van de 71% die hier wel problemen signaleert, is in diagram 8.5 weergegeven welke samenwerking dit betreft. In deze figuur staan de aangekruiste personen en instellingen en de mate waarin er door de participanten problemen in hun samenwerking met de raadsman worden gesignaleerd.

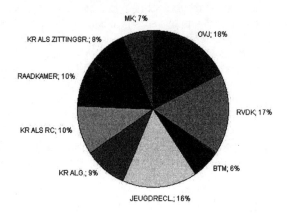

MK; 7%

KR ALS ZITTINGSR.; 8%

OVJ; 18%

RAADKAMER; 10%

RVDK; 17%

KR ALS RC; 10%

KR ALG.; 9%

BTM; 6%

JEUGDRECL.; 16%

Diagram 8.5 Cirkeldiagram met percentages die weergeven hoe vaak de instanties in verhouding genoemd zijn door de participanten als instanties waarbij problemen worden gesignaleerd in de samenwerking met de raadsman.

De problemen die worden gesignaleerd in de door de participanten aangegeven
samenwerking, komen naar voren in de antwoorden op vraag 20b van de vragenlijst
(zie 7.20) en zijn in vier categorieën onder te verdelen, in volgorde van de frequentie
waarmee ze genoemd zijn.
De eerste categorie problemen in de samenwerking – die het meest genoemd is –
betreft het gebrek aan professionaliteit en capaciteit en een verkeerde rolopvatting.
De participanten hebben vrijwel op alle genoemde personen en instanties kritiek
over de professionaliteit of capaciteit. De Raad voor de kinderbescherming biedt
volgens een van de participanten "niet de adequate ondersteuning die je zou mogen
verwachten, vooral in vervolgtrajecten". Als mogelijke oorzaken hiervan worden de
"case-load" en "het grote verloop onder medewerkers" genoemd. Een andere participant bekritiseert niet alleen de Raad maar ook de jeugdreclassering: " Reclassering,
RvdK werkt vaak te langzaam in mijn optiek". Het Parket krijgt het van een van de
participanten nog zwaarder te verduren:

> Parket werkt allerbelabberdst [.....] zitings-OVJ weet soms niet eens wat er op zitting
> behandeld gaat worden (dus raadsman ook niet) [...] Dit probleem is niet op te lossen
> zolang rechters en OVJ's voornamelijk aan hun eigen agenda denken [...].

Dat ook de professionaliteit van sommige advocaten te wensen overlaat, blijkt uit de
volgende opmerking: "Advocaten die geen kennis dragen van het jeugdstrafrecht
horen die zaken niet aan te nemen". Meer in het algemeen stelt een van de participanten: "In feite is iedere instantie allereerst zijn eigen stoepje aan het schoonma-
ken".
Met betrekking tot de rolopvatting van de instanties valt kennelijk ook het een en
ander op te merken. Er komt uit verschillende antwoorden naar voren dat de ver-

120

schillende instanties nogal eens het werk van een ander overnemen en/of hun eigen taken laten liggen:

[Ik] heb vaak het idee dat ik werk van hen [reclassereing en RvdK] op moet knappen: eerlijk gezegd schort het mijns inziens wel eens (meer dan wenselijk is) aan daadkracht. Oplossing: minder vergaderen, méér doen

De jeugdreclassering gaat zo langzamerhand zich als advocaat opstellen bij haar advies in de strafmaat. Bekentenissen worden de cliënt ontfutseld. Oplossing: de jeugdreclassering moet zich bezighouden met haar aanvankelijke taak: maatschappelijk en sociaal begeleiden van de cliënt. Bovendien ontbreekt het aan professionele opstelling, nl: adviserend optreden en niet bestraffend. Dat doet de kinderrechter.

Verscheidene participanten verwoorden dit probleem door te stellen dat verschillende instanties op verkeerde stoelen gaan zitten:

De aangekruiste instanties [alle instanties behalve BTM] hebben vaak een onjuist beeld van de taak van de raadsman, en dus worden er dingen van hem verwacht die hij niet kan en zal bieden, en omgekeerd hebben advocaten vaak een slecht beeld van de taak en rol van allerlei instellingen en weinig kennis van de (Amsterdamse) procedures in jeugdstrafzaken.

OvJ gaat vaak op de stoel van de rechter zitten. Met hem of haar kan je bijna geen afspraken maken. Hij of zij denkt vaak ook niet aan wat pedagogisch goed is voor een minderjarige.

Sporadisch probleem met jeugdreclassering en/of Raad: men gaat op de stoel van de advocaat zitten. Een stoel te ver.

De tweede categorie problemen in de samenwerking betreft het gebrek aan communicatie, informatievoorziening, bereikbaarheid en overleg. Dit komt naar voren uit de volgende antwoorden:

De Raad en in het bijzonder de jeugdreclassering functioneert bij lange na niet naar behoren. [...] Jeugdreclassering is vaak zeer moeilijk te bereiken en betrekt verdediging/raadsman niet bij overleg, terwijl dat wel in het belang van de minderjarig (kan) zijn

Alle betrokkenen bij jeugdstrafrecht zijn onvoldoende op de hoogte van de specifieke eigenschappen van elkaars positie en/of functie en/of (hulpverlenings) mogelijkheden. Te weinig contacten tussen betrokkenen over de (on) mogelijkheden in het jeugdstrafrecht en/of hulpverlening in het algemeen.

De derde categorie problemen in de samenwerking betreft het teveel benadrukken (raadsman) of te gemakkelijk bekritiseren en verwerpen (kinderrechter/officier van justitie) van formele verweren en getuigenverhoren. Hier komt het dilemma tussen rechtsbescherming en pedagogisch belang aan de orde. Een voorbeeld van de kritiek op de raadsman:

De verdediging in jeugdzaken schuift steeds meer op in de richting van het meerderjarigenstrafrecht: bijv. bagatelliseren van het feit, om vrijspraak vragen bij meer dan voldoende bewijs/overtuiging: dit geeft de jeugdige wellicht de indruk dat het allemaal zo erg niet is, ergo draagt dan niet bij aan toekomst van die jeugdige.

Het omgekeerde wordt gezegd over de kinderrechter:

> De kinderrechter zit te veel op de (niet-formele) pedagogische toer, ten nadele van de rechtsbescherming van cliënt.

De vierde categorie problemen in de samenwerking betreft de te lange doorlooptijden en wachttijden en te veel vertraging. Zo is er volgens een van de participanten "Verschil van mening over (tijdstip) schorsingen; niet snel genoeg op zitting brengen van de zaken, dan wel (de andere kant) problemen met beschikbaarheid raadsman; problemen met uitwisselen informatie; trage rapportage". Een ander stelt dat de kritiek voornamelijk het tijdsverloop betreft: "Kortere doorlooptijden mijns inziens gewenst", maar plaatst hierbij wel de opmerking dat dit "[...] uiteraard geen kritiek [is] op functioneren zittingsrechter maar op het overbelaste systeem". Een origineel idee van een advocaat om duidelijk te maken waar met betrekking tot wachttijden de grenzen liggen, maar mogelijk niet een zeer constructieve oplossing voor dit probleem luidt als volgt:

> Ik ben één keer weggelopen na een uur wachten - sloeg in als een bom: griffier te laat thuis voor de kinderen, boze en oververmoeide rechter en de OVJ moest afspraken schrappen. Zaten zij ook eens te wachten. Moesten meer advocaten doen!

Slotbeschouwing

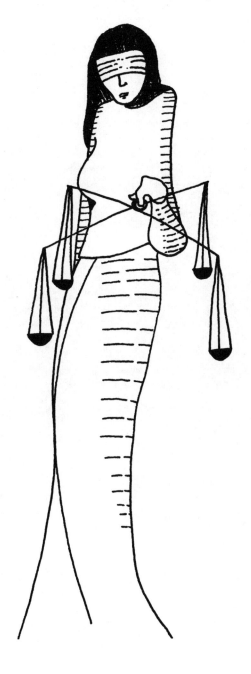

9 Conclusies en de maatschappelijke relevantie van het onderzoek

Wanneer het aan de hand van het literatuuronderzoek gemaakte model (model 4.1, zie 4.2) wordt bekeken in het licht van de resultaten van het praktijkonderzoek, wordt duidelijk zichtbaar welke weg er volgens de resultaten hoofdzakelijk bewandeld wordt. In model 9.1 komen de conclusies van het literatuuronderzoek en het praktijkonderzoek bijeen in een schematisch overzicht van de kern van de onderzoeksvragen.

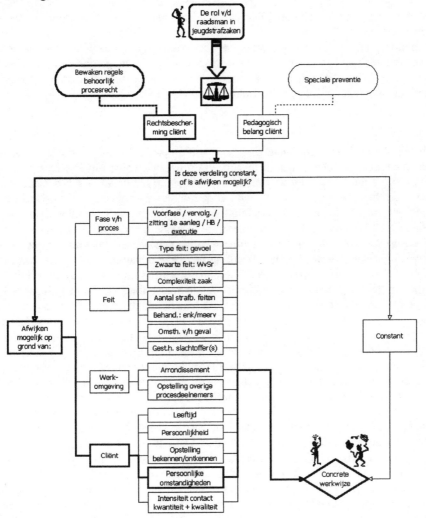

Model 9.1 Weergave van de resultaten als antwoorden op de kern van de onderzoeksvragen, verwerkt in model 4.1 met de weg van de hoogste percentages weergegeven in het zwart.

125

Uit het praktijkonderzoek komt naar voren dat minderjarigen minimaal evenveel rechtsbescherming verdienen als volwassenen en dat het een negatief effect heeft op het pedagogisch belang van het kind wanneer deze mate van rechtsbescherming hen wordt ontzegd. Dit blijkt onder andere uit de volgende opmerking van een van de participanten:

> Je kunt een kind geen grotere pedagogisch schade toebrengen dan de ervaring dat voor hem/haar geen of andere procesbescherming geldt dan voor volwassenen.

Ook in de literatuur wordt het standpunt dat de begrippen rechtsbescherming en pedagogisch belang in het jeugdstrafrecht elkaar niet uitsluiten naar voren gebracht en gemotiveerd met de stelling en dat rechtsbescherming uiteindelijk het pedagogisch belang van het kind dient. Dit (pedagogisch) belang van de rechtsbescherming wordt uitdrukkelijk gemotiveerd door de commissie-Anneveldt (zie 2.1) met de opmerking dat een kind meer open zal staan voor straf wanneer het zich serieus genomen voelt en het idee heeft dat er respect is voor zijn mondigheid, waardoor de straf pedagogisch beter werkt. Een van de participanten uit het praktijkonderzoek motiveert het belang van de rechtsbescherming als volgt.

> [...] je kunt niet verkopen dat de minderjarige zich aan de wet/regels moet houden als je dat zelf ook niet doet.

Het feit dat uit het praktijkonderzoek naar voren komt dat een kind minstens evenveel recht moet hebben op een behoorlijk strafproces als volwassenen – zo niet méér – omdat het anders een negatief effect zal hebben op het pedagogisch belang, kenmerkt een toename in de waardigheid die de minderjarige als individu wordt toegekend. Vanuit een ideologisch standpunt gezien is dit een verworvenheid waar een ieder die de rechten van het kind hoog in het vaandel heeft zeer tevreden over kan zijn. Maar het moment dat deze ideologische invalshoek verlaten wordt en er *in de praktijk* gekeken wordt naar de uitwerking van deze opvatting, kan de vraag rijzen of dit wel werkbaar is. Met andere woorden: zorgt de uitwerking van dit ideologische standpunt inderdaad voor realisatie van de doelstelling van het jeugdstrafrecht, namelijk een pedagogische procesgang waardoor de minderjarige in eerste instantie niet zal recidiveren en uiteindelijk het goede pad op zal gaan? Dit is mijns inziens het punt waarop het ideaal van de rechtsbescherming – als pedagogisch onderdeel van de rechtsgang – stuk *kan* lopen: de werking ervan in de praktijk. Uit het praktijkonderzoek komt naar voren dat de rechtsbescherming in de verdediging in beginsel een hogere prioriteit dient te hebben dan het pedagogisch belang van het kind (zie model 9.1). Dit komt volgens sommigen voort uit voornoemd ideaal. Uitwerking van deze ideologie van het positieve effect van de rechtsbescherming zal in de praktijk van het jeugdstrafrecht echter kunnen betekenen dat de minderjarige delinquent, zonder ooit enig idee te hebben gehad van alle prachtige achterliggende ideologieën, ongestraft zijn criminele carrière kan voortzetten. Uiteindelijk kan dan niet gezegd worden dat de rechtsbescherming ook maar enig (pedagogisch) belang van het kind heeft gediend, maar wel dat het misschien het pedagogisch belang van het kind heeft overschaduwd. Dit wordt tevens treffend naar voren gebracht in het volgende citaat uit de evaluatie van de praktijk van het nieuwe jeugdstrafrecht van 1995 door het WODC:

Door de nadruk van de advocaten op de procesgang zouden de jeugdige daders gemakkelijk het idee kunnen krijgen dat zij eigenlijk geen daders zijn maar dat zij toevallig de pineut zijn. 'Over het algemeen betreft het jongeren die minder slim zijn. Ze snappen toch al niet zoveel en verder zijn ze van nature geneigd om te roepen "dat zij het niet gedaan hebben". Dan komt er ook nog eens een advocaat die gaat proberen te bewijzen dat zij het niet gedaan hebben. Verder is het zo dat niemand iets hoeft te verklaren dat tegen hem werkt – niemand hoeft mee te werken aan zijn eigen veroordeling – dus die jongeren krijgen te horen dat ze niks hoeven te zeggen. Hierdoor verliezen die jongens uit het oog wat eigenlijk de lijn is waar die advocaat op zit en wat zijn rol in het hele spelletje is. Die jongens gaan zelf geloven dat zij het niet gedaan hebben."[124]

Een kritische noot bij de overtuiging van velen dat de rechtsbescherming in de verdediging uiteindelijk het pedagogisch belang van de minderjarige zal dienen, is dus dat het de vraag blijft of de minderjarige verdachte het achterliggende ideaal van zijn raadsman begrijpt en daardoor ook pedagogisch gezien een stap vooruit zet. Mijns inziens is dit iets dat te hopen valt, maar waar niet vanuit kan worden gegaan. Dit wil overigens niet zeggen dat ik pleit voor minder rechtsbescherming voor minderjarigen maar wel dat het goed kan zijn om het 'idealisme' van de pedagogische werking van rechtsbescherming zo nu en dan te relativeren. Wat door volwassen als rechtvaardig wordt bestempeld, hoeft immers niet altijd door de minderjarigen als zodanig te worden begrepen.
Is het laten prevaleren van het pedagogisch belang in de verdediging dan een betere oplossing? Zorgt dit voor een eenduidige procesgang? In ieder geval zal dat niet zo zijn zolang de inhoud van het begrip 'pedagogisch belang' in het jeugdstrafrecht aan discussie onderhevig blijft en er geen instantie is die een sluitend advies geeft over wat in concreto als de meest pedagogische strafrechtelijke moet worden beschouwd. Het nastreven van het pedagogisch belang door verschillende personen en instanties in het jeugdstrafproces zorgt dan immers juist voor een onduidelijke procesgang.
Een mogelijke oplossing voor de probleemstelling valt hiermee nog niet te geven, waardoor de vraag blijft:

Welke rol speelt de raadsman in jeugdstrafzaken, en hoe behoort hij in deze rol om te gaan met het mogelijke dilemma tussen rechtsbescherming en pedagogisch belang?

Een eenduidige oplossing voor deze probleemstelling zou op basis van de onderzoeksresultaten luiden dat de raadsman in zijn verdediging de rechtsbescherming in beginsel dient te laten prevaleren boven het pedagogisch belang. Gezien de hierboven geuite kritiek is dat mijns inziens niet per definitie een goede oplossing, maar dat kan het onder enige voorwaarden wel worden. Een pedagogisch verantwoorde verdediging kan slechts worden gevoerd wanneer de raadsman zich bij het laten prevaleren van de rechtsbescherming realiseert, dat rechtsbescherming over het algemeen slechts in het pedagogisch belang van zijn minderjarige cliënt kan werken

---

[124] Kruissink & Verwers 2001, p. 69.

wanneer deze minderjarige begrijpt hoe het strafrecht in elkaar steekt en wat ieders rol hierbinnen is. Een van de belangrijkste taken van de raadman is mijns inziens dan ook dat hij zijn cliënt goed voorbereidt op wat hij kan verwachten van het straf-proces. Deze gedachte wordt ondersteund door 58 van de 61 participanten uit het praktijkonderzoek die van mening zijn dat het betrekken van de cliënt bij de voorbe-reiding van de verdediging een positief of zeer positief effect heeft op zijn pedago-gisch belang.

Samenvattend: hoe de raadsman uiteindelijk ook omgaat met zijn mogelijke dilem-ma tussen rechtsbescherming en pedagogisch belang, er zal kritiek op zijn rolinvul-ling blijven zolang zijn cliënt niet begrijpt wat hem in het strafproces te wachten staat. De raadsman dient er in zijn rol voor te waken dat hij door een goede uitleg zo min mogelijk afbreuk doet en laat doen aan het pedagogisch belang van zijn cli-ent.

Ook na het aandringen bij de participanten om prioriteiten te stellen en te kiezen welke van de begrippen rechtsbescherming en pedagogisch belang in de verdediging van minderjarige verdachte volgens hen centraal zou moeten staan, blijft de praktijk afhankelijk van wat een ieder onder deze begrippen verstaat en welke keuzes er per geval worden gemaakt.
Is dit onderzoek dan wel in staat om duidelijkheid te verschaffen over de stand van zaken op dit gebied? Ik denk van wel. Uiteraard blijven er vragen onbeantwoord en is de praktijk afhankelijk van de opvattingen van individuen. Dit onderzoek brengt echter wel het gemiddelde beeld in kaart dat de participanten hebben van de rol van de raadsman, waardoor er een basis is gelegd voor meer discussie en aandacht voor dit onderwerp. Ook al ben ik van mening dat de discussie over de rol van de raads-man nooit tot een einde zal komen, ik denk toch dat bewustwording van de onenig-heid die er hierover bestaat ervoor kan zorgen dat er meer begrip komt voor de di-lemma's waarvoor een raadsman komt te staan bij het verdedigen van zijn minderja-rige cliënt. Wanneer meer begrip ontstaat, gaat de deur open voor open gesprekken en zullen de procesdeelnemers elkaar misschien eerder adviseren en inlichten. De hoop is dat dit ten goede komt aan het verloop van het proces en dat dit uiteindelijk zorgt voor duidelijkheid en begrip aan de kant van de cliënt en daarmee voor een rechtvaardig proces met een pedagogische waarde.

Uit de opmerkingen die sommige participanten hebben gemaakt over het onderzoek, blijkt dat de vragenlijst verschillend is gewaardeerd. Zo zijn er, naast de participan-ten die zich positief voelen aangesproken door de vragenlijst, ook participanten die zich negatief voelen aangesproken. Zo zijn "Sommige vragen irritant (m.n. vraag 8 e.v.)" en "Wil [onderzoeker] een zeer afwisselende praktijk te graag als exacte we-tenschap gaan beoordelen. Gaat niet". Ook een andere participant vraagt zich af "wat de wetenschappelijke waarde van dit onderzoek is nu de vraagstelling vaak te alge-meen is en niet toegesneden op een casus. De keuzes worden zo vrij willekeurig". Dit tegenover positieve opmerkingen als: "Duidelijk wel een vragenlijst waar goed over is nagedacht, complimenten hiervoor!" en "Wat een schitterende vragenlijst, en wat een prima onderzoek!".

Het is mijns inziens zeer positief dat ook de mensen die de nodige kritiek hadden op de wijze van onderzoek, toch aan het onderzoek hebben meegedaan. Dat geeft immers aan dat er grote bereidheid bestaat om mee te werken aan onderzoek waarin de rol van de raadsman onder de loep wordt genomen.

10 Geraadpleegde bronnen

Ashford & Chard 2000
M. Ashford & A. Chard, *Defending Young People. In the criminal justice system*, Engeland *z.p.*: Legal Action Group 2000.

Bac 1995
J.R. Bac, 'Diagnostiek tussen jeugdstrafrecht en hulpverlening', *FJR [Tijdschrift voor Familie en Jeugdrecht]* 1995, p. 125-128.

Bac 1998
J.R. Bac, *Kinderrechter in strafzaken. Evolutie en evaluatie*, Deventer: Gouda Quint 1998.

Bac & Mijnarends 2000
J.R. Bac & E.M. Mijnarends, *De jeugdige delinquent en het recht*, 's-Gravenhage: Elsevier bedrijfsinformatie 2000.

Bartels, A.A.J. 1993
A.A.J. Bartels, 'Een programma voor behandeling in het kader van strafrechtelijke maatregelen voor jeugdigen', in: F. Koenraadt e.a. (red.), *Forensische jeugdpsychologie. Rapportage en behandeling in het familie- en jeugdrecht*, Arnhem: Gouda Quint 1993, p. 205-218.

Bartels, J.A.C. & Fokkens 1977
J.A.C. Bartels & J.W. Fokkens, 'Het jeugdstrafrecht in discussie', *Proces* (56) 1977, p. 167-176.

Bartels, J.A.C. 1988
J.A.C. Bartels, 'Het belang van het kind in het jeugdstrafrecht, of 'de evolutie van een rechtsbegrip'', in: *Met het oog op het belang van het kind. Opstellen aangeboden aan professor mr. Madzy Rood-de Boer ter gelegenheid van haar emeritaat*, Deventer: Kluwer 1988, p. 225-240.

Bartels, J.A.C. 1995
J.A.C. Bartels, *Jeugdstrafrecht. Het nieuwe jeugdstrafrecht*, Zwolle: W.E.J. Tjeenk Willink 1995.

Van Bemmelen & Van Veen/De Jong & Knigge 1998
J.M. van Bemmelen & Th.W. van Veen/D.H. de Jong & G. Knigge (bew.), *Het materiële strafrecht. Algemeen deel*, Deventer: Gouda Quint 1998.

Bol 1991
M.W. Bol, *Leeftijdsgrenzen in het strafrecht. Bezien vanuit de ontwikkelingspsychologie*, Arnhem: Gouda Quint 1991.

Boutellier & Weijers 2001
H. Boutellier & I. Weijers, 'Over de pedagogische functie van het jeugdstrafrecht',
Tijdschrift voor de sociale sector (55) 2001-1, p. 36-39.

Brons 1981
D. Brons, 'Belangenbehartiging van jongeren die in conflict komen met het strafrecht nog eens bezien', in: L. Gunther Moor e.a. (red.), *Grenzen van de jeugd. Ach-
tergronden van Jeugdcriminaliteit, z.p.*: Ars Aequi 1981, p. 360-361.

Von Brucken Fock 1986
E.P. von Brucken Fock, 'De onpartijdigheid van de kinderrechter in jeugdstrafza-
ken', in: M. Rood-de Boer e.a., *Symposium Jeugdstrafrecht* (*FJR* boekenreeks nr. 2),
Zwolle: W.E.J. Tjeenk Willink 1986, p. 97-111.

De Bruijn-Lückers 1998
M.L.C.C. de Bruijn-Lückers, 'Enkele praktijkproblemen van het jeugdstrafrecht',
FJR 1998, p. 59-62.

Bruins 1991
J.M. Bruins, 'Voorlichting aan justitie in jeugdstrafzaken', *FJR* 1991, p. 188-194.

Commissie-Anneveldt 1982
*Sanctierecht voor jeugdigen. Rapport van de commissie Strafrechtherziening voor
Jeugdigen onder voorzitterschap van E.J. Anneveldt*, Den Haag: Commissie Straf-
rechtherziening voor Jeugdigen 1982.

Commissie-Overwater 1951
*Kinderrechtspraak en kinderbescherming. Rapport van de commissie Kinderrecht-
spraak en kinderbescherming ingesteld met het doel van advies te dienen over de
vraag in welke richting het rijkstucht- en opvoedingswezen en in verband daarmede
het Kinderstrafrecht zich zullen moeten ontwikkelen, onder voorzitterschap van J.
Overwater*, Den Haag: Staatsdrukkerij- en uitgeverij bedrijf 1951.

Corstens 1999
G.J.M. Corstens, *Het Nederlands strafprocesrecht*, Deventer: Gouda Quint 1999.

Doek 1981
J.E. Doek, 'Het belang van het kind in het kinderstrafrecht', in: A.J. Bins e.a., *Be-
ginselen. Opstellen over strafrecht aangeboden aan G.E. Mulder*, Arnhem: Gouda
Quint 1981, p. 23-41.

Doek 1986
J.E. Doek, 'Honderd jaar Wetboek van Strafrecht: hoe vitaal is het kinderstraf-recht?', in: M. Rood-de Boer e.a., *Symposium Jeugdstrafrecht* (*FJR* boekenreeks nr. 2), Zwolle: W.E.J. Tjeenk Willink 1986, p. 27-50.

Doek & Vlaardingerbroek 1998
J.E. Doek & P. Vlaardingerbroek, *Jeugdrecht en jeugdhulpverleningsrecht*, 's-Gravenhage: Elseviers bedrijfsinformatie 1998.

Droogleever Fortuyn 1997
M. Droogleever Fortuyn, 'Jongeren terug op de rails zetten. Een gesprek met Peter Oskam, Officier van Justitie in Rotterdam', *Tijdschrift voor de Rechten van het Kind* (7) 1977-1, p. 2-5.

Duijst 2002
W. Duijst, 'Jeugdadvocatuur', *FJR* 2002, p. 50-54.

Enschedé/Rüter & Stolwijk 1995
Ch.J. Enschedé/C.F. Rüter & S.A.M. Stolwijk (bew.), *Beginselen van strafrecht*, Deventer: Kluwer 1995.

Fokkens 1998
J.W. Fokkens, 'De positie en de taak van de kinderrechter in strafzaken', in: C.P.M. Cleiren e.a., *De kinderrechter 75 jaar: reden tot vreugde!?*, Deventer: Kluwer 1998, p. 69-80.

Heiner & Bartels 1989
J.Heiner & A.A.J. Bartels, 'Jeugdstrafrecht en het belang van het kind: het belang van het kind nader omschreven', *FJR* 1989, p. 59-67.

Huydecoper 1998
J.L.R.A. Huydecoper, 'Alleen het belang van de cliënt telt', in: Huydecoper e.a., *Advocatendossier 10: Advocaat en ethiek*, Den Haag: Nederlandse Orde van Advocaten 1998, p. 1-8.

Jacobs & Kaptein 1998
F.C.L.M. Jacobs & H.J.R. Kaptein, 'Ethiek als wetenschap (met een blik op de advocatuur)', in: Huydecoper e.a., *Advocatendossier 10: Advocaat en ethiek*, Den Haag: Nederlandse Orde van Advocaten 1998, p. 92-101.

De Jonge 2001
G. de Jonge, 'Uitdagingen voor het jeugdstrafrecht. Met de VS als waarschuwend voorbeeld', *FJR* 2001, p. 324-329.

De Jonge & Witteveen 1997
H. de Jonge & H. Witteveen, 'Alerte advocaat. Een interview met Jacqueline Kuijper, advocaat te Amsterdam', *Tijdschrift voor de Rechten van het Kind* (7) 1997-1, p. 15-18.

Kaptein 1999a
H.J.R. Kaptein, 'Advocaten mogen zich niet beroepen op de mazen in de wet', *NRC Handelsblad* 1 november 1999, p. 9.

Kaptein 1999b
H.J.R. Kaptein, 'Advocaat is meer dan juridisch hulpstuk', *NRC Handelsblad* 8 november 1999, p. 8.

Kockelkorn, Van der Laan & Meulenberg 1991
R. Kockelkorn, P.H. van der Laan & C. Meulenberg, *Knelpunten bij de toepassing van dienstverlening? Uitkomsten van een enquête onder rechters, officieren van justitie, advocaten en coördinatoren dienstverlening, z.p.*: WODC 1991.

Koens & De Jonge 1995
M.J.C. Koens & G. De Jonge, *Het nieuwe strafrecht en strafprocesrecht voor jeugdigen*, Arnhem: Gouda Quint 1995.

Koens & De Jonge (*Handboek Strafzaken* 2)
M.J.C. Koens & G. de Jonge, '69. Straf(proces)recht voor jeugdigen', in: Corstens e.a. (red.), *Handboek strafzaken*, Deventer: Kluwer (losbl.).

Kruissink & Verwers 2001
M. Kruissink & C. Verwers, *Het nieuwe jeugdstrafrecht. Vijf jaar ervaring in de praktijk*, z.p.: WODC 2001.

De Mare 1998
E.J. de Mare, *Basisboek jeugdstrafrecht en jeugdbeschermingsrecht in de praktijk*, Utrecht: SWP 1998.

Mijnarends 1995
E.M. Mijnarends, 'The representation of juvenile offenders', *FJR* 1995, p. 183-184.

Mijnarends 1999
E.M. Mijnarends, *Richtlijnen voor een verdragsconforme jeugdstrafrechtspleging, 'gelijkwaardig maar minderjarig'*, z.p.: Kluwer Rechtswetenschappelijke Publicaties 1999.

Mols 1999
G. Mols, 'Een advocaat moet de belangen van zijn cliënt optimaal dienen', *NRC Handelsblad* 5 november 1999, p. 9.

Morris 1983
A. Morris, 'Legal representation and justice', in: A. Morris & H. Giller (red.), *Providing Criminal Justice for Children*, Londen: Edward Arnold 1983, p. 125-140.

Mout 1987
P. Mout, 'Korte notities over de raadsman in strafzaken', in: P. Mout e.a., *Naar eer en geweten* (Remmelink-bundel), Arnhem: Gouda Quint 1987, p. 383-391.

Naffine & Wundersitz 1991
N. Naffine & J. Wundersitz, 'Lawyers in the Children's Court: An Australian Perspective', *Crime & Delinquency* (37) 1991, p. 374-392.

Schalken 1983
J.M. Schalken, 'Jeugdstrafrecht tussen welzijn en de eis van een behoorlijke rechtspleging (artikel 6 Europees Verdrag)', *FJR* 1983, p. 233-262.

Scheij 1989
E.A.M. Scheij. 'De rechtspositie van de jeugdige verdachte in het toekomstig jeugdstrafprocesrecht', *FJR* 1989, p. 257-262.

Van Sloun 1987
Th.J.G. van Sloun, 'Het rapport Anneveldt: een juridisch equilibrist op twee sporen met ongelijke leggers?' *DD* (17) 1987, p. 164-182.

Van Sloun 1989
T.H.J.G. van Sloun, 'Schuld als straf-legitimerend beginsel in het jeugdstrafrecht', in: M. de Langen, J.H. de Graaf & F.B.M. Kunneman (red.), *Kinderen en recht*, Arnhem: Gouda Quint 1989, p. 198-212.

Statsoft 2001
Statsoft, Inc. (2001) STATISTICA (data analysis software system), version 6. www.statsoft.com

Studiegroep Strafrechtspleging van de Nederlandse Orde van Advocaten 1972
Verdediging in de aanval. Een analyse van doeleinden en middelen van de advocatuur binnen de strafrechtspleging, z.p.: Studiegroep Strafrechtspleging van de Nederlandse Orde van Advocaten 1972.

Sutorius (*Handboek Strafzaken* 1)
E.P.H.R. Sutorius, '1. Rol en taakopvatting van de raadsman', in: Corstens e.a. (red.), *Handboek strafzaken*, Deventer: Kluwer (losbl.).

Verbunt 1986
R.P.G.M.L. Verbunt, 'De advocaat en jeugdstrafzaken', in: M. Rood-de Boer e.a., *Symposium Jeugdstrafrecht* (*FJR* boekenreeks nr. 2), Zwolle: W.E.J. Tjeenk Willink 1986, p. 113-121.

Verpalen 1989
M.J.M. Verpalen, 'Jeugdstrafprocesrecht: recht op een bijzondere behandeling', in: M. de Langen, J.H. de Graaf & F.B.M. Kunneman (red.), *Kinderen en recht*, Arnhem: Gouda Quint 1989, p. 213-224.

Verpalen 1991
M.J.M. Verpalen, *Het strafprocesrecht voor jeugdigen. Aantekeningen bij een bijzondere procedure*, Arnhem: Gouda Quint 1991.

Verpalen 2000
M.J.M. Verpalen, 'Bijzondere bepalingen voor jeugdige personen', in: C.M.P. Cleiren & J.F. Nijboer (red.), *Strafrecht. Tekst & Commentaar*, Deventer: Kluwer 2000, p. 379-436.

Verpalen 2001
M.J.M. Verpalen, 'Strafvordering in zaken betreffende jeugdige personen', in: C.M.P. Cleiren & J.F. Nijboer (red.), *Strafvordering. Tekst & Commentaar*, Deventer: Kluwer 2001, p. 1089-1132.

Van Verschuer 1912
J.A. van Verschuer, *Kinderrechtbanken*, Utrecht: P. den Boer 1912.

Weijers 2000
I. Weijers, *Schuld en schaamte. Een pedagogisch perspectief op het jeugdstrafrecht*, Houten/Diegem: Bohn Stafleu Van Loghum 2000.

Weijers 2001
I. Weijers, 'Een pedagogisch perspectief op jeugdstrafrecht', *DD* (31) 2001, p. 192-211.

Wever & Andriessen 1983
J. Wever & M.F. Andriessen, *De strafrechtelijke procedure voor jeugdigen*, Arnhem: Gouda Quint 1983.

Young 1992
I. Young, 'The Child Cliënt', *Children & Society* (6) 1992-3, p. 187-203.